fronteiras

Textos inéditos, escritos para o
Litercultura Festival Literário

patrícia **campos mello**
juan **cárdenas**
bernardo **carvalho**
leonardo **padura**
igiaba **scego**

fronteiras

territórios da literatura
e da geopolítica

Porto Alegre · São Paulo · 2019

LITERCULTURA

Copyright © 2019 Patrícia Campos Mello, Juan Cárdenas, Bernardo Carvalho
Leonardo Padura, Igiaba Scego

CONSELHO EDITORIAL Gustavo Faraon e Rodrigo Rosp
COORDENAÇÃO EDITORIAL Manoela Leão e Manuel da Costa Pinto
CAPA E PROJETO GRÁFICO Luísa Zardo
REVISÃO Fernanda Lisbôa e Rodrigo Rosp

Dados Internacionais de Catalogação na Publicação (CIP)

F935 Fronteiras: territórios da literatura e da geopolítica / Patrícia
   Campos Mello ... [et all.]. — Porto Alegre : Dublinense, 2019.
   144 p. ; 21 cm.

   ISBN: 978-85-8318-130-9

   1. Ensaios Brasileiros. 2. Literatura — Ensaios. 3. Ensaios —
   Aspectos Políticos. 4. Ensaios (Humanidades). I. Campos
   Mello, Patrícia.

                     CDD 808.4

Catalogação na fonte: Ginamara de Oliveira Lima (CRB 10/1204)

Todos os direitos desta edição reservados à Editora Dublinense Ltda.

EDITORIAL
Av. Augusto Meyer, 163 sala 605
Auxiliadora — Porto Alegre — RS
contato@dublinense.com.br

COMERCIAL
(11) 4329-2676
(51) 3024-0787
comercial@dublinense.com.br

Apresentação 7

O novo mundo dos 15
estrangeiros pré-fabricados
Patrícia Campos Mello

Parábola do não retorno 31
Juan Cárdenas

Pátria 55
Bernardo Carvalho

A maldita circunstância 101
de água por todo lado
Leonardo Padura

Viajantes 121
Igiaba Scego

Sobre os autores 141

Apresentação

Precisamos de fronteiras para saber quem somos, mas, ao mesmo tempo, precisamos do outro, essa entidade que nos devolve, em forma de espelho e janela, uma *id*entidade que vai além do documento-registro-geral-cadastro-de-pessoa-física. Assim como temos um corpo que nos define, assim como temos uma subjetividade que nos faz ser lá onde pensamos e onde não pensamos que pensamos, nossos limites são porosos ao mundo, carentes de outras subjetividades para a própria constituição.

Embora o *in*divíduo creia ser a unidade mínima e indivisível da *persona*, o rótulo não se sustenta. Rótulos escondem mais do que definem, rótulos não deixam ver o que está atrás, apenas se colam à embalagem.

Literatura — a palavra! —, por sua vez, também é ponto de encontro e zona de conflito, é situação-limite, é experiência adensada por convergências e divergências do sujeito com a alteridade, esta sempre estrangeira, que pode nos levar a um deslocamento, a uma travessia. Com o sujeito e sua palavra, tenta-se compor um mosaico possível face às questões urgentes da imigração e da proteção assustada e belicosa das fronteiras.

Fronteiras confrontam-se, enfrentam-se. Do atrito, pode nascer o diálogo, pode haver expansão do mundo subjetivo, acréscimo, soma e multiplicação de percepções, sentimentos, raciocínios. É isso o que significa termos fronteiras pessoais que nos definem, mas porosas a ponto de permitir o ir e vir da troca simbólica, que forma e transforma o eu e o outro. É uma borda — substância substantiva — que se borda — verbo de ação —, preenchendo os vazios sem nunca os completar. Porque somos sujeitos da falta e é a falta que nos move, que nos *co*move porque nos move com. Com o outro e esse mundo que vive dentro e fora de nós, permeáveis que somos.

Mas há encontros que não expandem, há encontros que invertem as operações de soma e multiplicação, propõem o choque e o desejo de subtrair e dividir. Nessa matemática ininterrupta das operações básicas, o mundo se move — *e pur si muove* — mesmo que às vezes não saia do lugar, mesmo que repita lógicas anacrônicas que nunca foram, numa contradição em termos, tão atuais.

Quando olhamos os mapas, vemos linhas pontilhadas demarcando limites. No que uma linha pontilhada ou tracejada se difere de uma linha plena? Acompanhamos a trajetória do traço subentendendo uma continuidade mesmo nos espaços em que a linha falha. O tracejado pede exercício de complementação, pede de nós uma mínima imaginação, pede que coloquemos nossos sentidos e não apenas colhamos os sentidos dados. Por exemplo: a linha limita ou costura os mapas e seus territórios? A linha imaginária é como a palavra no curso do discurso. Umberto Eco, em seus *Seis passeios pelos bosques da ficção*, é quem diz ser a literatura uma máquina preguiçosa. Longe de desvalorizá-la com tal afirmação, ele exalta o trabalho bordado, bordejado pelas palavras, que ora surgem, ora submergem na trama do tecido. Palavras como pontilhados de traço e ausência, de sentidos postos e possibilidades que só o leitor pode completar. Também o leitor não apenas retira sentidos de um texto, mas os coloca e faz a palavra fluir, deslizar no tempo e no espaço. É preciso esforço do escritor para compor muito bem o não escrito, espaço onde se inscreverá o leitor, que também trabalha.

    Não é por acaso que, quando fechamos um livro que nos provocou movimento, que nos infligiu a necessidade de migrar, de navegar do porto em que estávamos e chegar a outro porto ou mesmo a porto nenhum, nós podemos até sair de seu território, mas o território não sai de nós. Tal imagem de deixar um território que, no entanto, permanece no sujeito, é recorrente quando se fala do ato da migração, ou seja, do ato de deixar uma terra *que não é mais* para tentar alcançar outra terra *que não é ainda*, com todas as inseguranças que isso gera, desde o medo do naufrágio sem direito a um *terra à vista* até a dúvida sobre a possibilidade de criar novas raízes.

    Enfim, quando falamos de deslocamento e movimento, de travessia e desterritorialização, de pontes e muros, falamos de palavra ou de geopolítica? De palavra e de geopolítica.

São tantas as proparoxítonas que há nessa fronteira: política, ética, estética, linguística. E sempre quem queira embotar os deslocamentos do mundo e da palavra, temendo o movimento desorganizador de uma ordem, pois nunca é fácil caminhar e abrir espaço dentro e fora de si. Há diferenças grandes demais entre o estático e o extático.

Neste livro, palavra e geopolítica promovem um encontro de expansão, de abertura para o movimento. Não são textos homogêneos, mas bordados por um fio comum que parte da fronteira porosa, da palavra que partilha experiências e pede intervenção generativa.

Em *O novo mundo dos estrangeiros pré-fabricados*, Patrícia Campos Mello vai falar de algo que podemos chamar de *fakenews avant la lèttre*, já que ela nos lembra de que a prática não é nova, que a sanha por acreditar no que reforça aquilo que já acreditamos parece característica humana desde há muito constatada. Com o tal mundo sem fronteiras, no entanto, nos tornamos livres para ir e vir, fincando nossas próprias fronteiras, aleatórias, conforme crenças e valores individuais. O que há de novo e surpreendente é o que ela chama de "câmaras de eco", que espalham notícias sob medida a um público cujo perfil é cada vez mais conhecido por meio das tecnologias da informação. Faz-se disso uma fábrica de estrangeiros, é como um convite publicitário que dissesse "vamos criar um estrangeiro sob medida para você. Um estrangeiro para chamar de seu, montando-o a partir de características opostas às suas". Criado o inimigo, fica mais fácil aderir ao discurso de quem se propõe a acabar com ele.

Parábola do não retorno, do colombiano Juan Cárdenas, fala de sua formação na Espanha, mais precisamente em Madri, e do quanto isso modelou boa parte de seu modo de ver o mundo e teceu experiências positivas, como o testemunho de uma transformação do "espanhol peninsular, que acabou por se abrir a outros ritmos, outros léxicos, outras entonações modeladas em geografias remotas", por meio de uma linguagem vinda dos bares, em uma antropofagia oswaldiana. Apesar de tantos contratempos. E dá relevo ao curioso circuito de reciprocidade rica de nuances entre o escritor que reinventa a língua que a própria cultura forjou nele. *Não* esqueçamos, porém, que Cárdenas fala sobre "viagens de ida e de volta". Eis que, na encruzilhada do mundo do exílio madrilenho, emerge a terra natal, que sempre viaja junto com o viajante. Mais uma entre as tantas clivagens a provar que o indivíduo não é indivisível: "não é fácil explicar a vida cindida de um imigrante" e ter "a cabeça, a imaginação, o corpo, a língua repartidos entre dois mundos". E o que significa o retorno, agora falando do retorno físico, não mais da memória? Vêm à mente os primeiros navegantes que fizeram a circum-navegação do globo. Após contornarem o planeta, voltaram à cidade de origem, de onde haviam partido, e constataram: ela não é mais a mesma. Ora, o que mudou? Quem mudou? Cárdenas compara o retorno ao território colombiano a uma enorme biblioteca de que ele havia lido apenas uma ínfima parte.

Bernardo Carvalho traz a "algazarra do mundo" em seu *Pátria*. E consegue isso por meio de um monólogo. Coloca na voz de um personagem a polifonia de vidas em conflito. A partir da experiência de refugiado — que foge do que está fora, mas também do que habita nele —, a narrativa flerta com inúmeras palavras que remetem à fronteira: num país que não é o seu (estrangeiro), enclausurado no apartamento em que se refugia (prisioneiro), em conflito com quem mora do outro lado da rua — do outro lado do limite geograficamente imposto (vizinha), o personagem reflete em fluxo sobre a teatralização do mundo e seu desconcerto, trazendo a imagem da quarta parede do teatro, que separa o ator de seus espectadores. E toma figuras da marginalização e do confinamento, como o louco, para nos dizer muito sobre a incomunicabilidade entre os seres. O monólogo nos lembra de que, além de um exílio no espaço, há um exílio no tempo, de que o retorno é tanto ou mais impossível. Só não há barreiras suficientes para evitar que o mundo entre em nós e faça seu trabalho, que exerça seu estrago, que erija a sua ruína.

O ensaio do cubano Leonardo Padura, *A maldita circunstância de água por todo lado*, desfila uma série de metáforas ricas de sentido a partir do Malecón ("la serpente pétrea"), muro que margeia e separa Havana do mar. Muro — mas também banco, o maior banco do mundo, onde cubanos se entregam ao mirar e à miragem. Do muro, voltado para o mar, olha-se para si e para o horizonte; voltado para a rua, olha-se para o outro que passa. O muro como fronteira entre terra e mar, entre material e imaterial, entre dentro e fora. Escrever a partir de uma ilha: quer fronteira mais simbólica, metáfora mais potente? Além da fronteira física, Padura fala das fronteiras burocráticas, que se constituíam, na imagem criada por Alejo Carpentier, como chaves de papel. Como os escritores de hoje atravessam — ou tentam atravessar — as fronteiras editoriais e de mercado é outra questão posta pelo escritor cubano.

Houve uma época em que os migrantes "do sul do mundo" emigravam de avião. A diferença entre os anos 70 e os dias atuais, em que a origem do passaporte classifica pessoas como sendo de série A, B, C..., é dramaticamente explicitada em *Viajantes*, de Igiaba Scego, que compara a trajetória da família vinda da Somália, podendo circular livremente pela Europa, à dos somalis que hoje tentam fazer esse mesmo caminho. É dessa espécie de transição para o pesadelo que Scego trata, tentando entender o conceito de viagem e por que o vocábulo não pode ser aplicado a quem emigra. O direito fundamental de ir e vir sofre aqui uma edição macabra, vira um compulsório *ir*, sem direito ao retorno a países assolados por tiranias e fome, e mesmo sem garantias de que a ida encontre algum tipo de acolhimento. Entre a partida e a chegada, um trajeto assombrado por naufrágios, contrabandistas, estupradores. Como pode alguém ser condenado pela aleatoriedade geográfica e não por algo grave que tenha feito? E até quando chamaremos de tragédia o que deveria ser chamado de homicídio?

Habitar o planeta tem íntima relação com habituar-se a ele. Habitação é criar hábito, portanto. Quanto mais se é rígido e avesso ao deslocamento, mais os hábitos fincam raízes. Ou seria o contrário? No hábito, a força da ordem, pelo menos a força de um tipo de ordem. Se falamos em ordem, cabe lembrar que a semântica das fronteiras nos reserva muito léxico com prefixo *ex-* e derivados: *ex*traordinário é um deles, o que *extra*vasa a ordem. O que extravasa a ordem, torna-se *es*tranho, que é a condição do *es*trangeiro. E o estrangeiro é aquele que empreendeu a *ex*periência da travessia e, na experiência, se inscreve o mesmo *per* de perigo. Eis no jogo etimológico o risco de atravessarmos fronteiras geopolíticas e de linguagem: a experiência da travessia e de nos tornarmos outros de nós mesmos, estrangeiros extraordinários.

Nunca é demais lembrar: viajantes todos somos e, com ou sem passagem, passaremos.

Cezar Tridapalli é mestre em Estudos Literários, escritor e tradutor, autor dos romances *Pequena biografia de desejos*, *O beijo de Schiller* e, em breve, *Vertigem do chão*, romance sobre imigração. Traduz *Estrangeiros residentes: uma filosofia da migração*, de Donatella Di Cesare.

O novo mundo dos estrangeiros pré-fabricados
Patrícia Campos Mello

As fotos em preto e branco daquela mulher deitada na praia, de biquíni, foram compartilhadas milhares de vezes pelo Facebook. Em uma delas, a mulher estava de bruços, de topless. Na outra, fumava um cigarro. Era um escândalo, pensar que Sonia Gandhi andava assim quando era jovem. Sim, a Sonia Gandhi, viúva do ex-primeiro-ministro indiano Rajiv Gandhi, assassinado em 1991; a mulher que fora presidente do Partido do Congresso, de oposição ao primeiro-ministro indiano, Narendra Modi.

"Sonia Gandhi, a líder do partido do Congresso, fortalecendo seu partido durante a juventude dela. Fotos obscenas para fascinar os eleitores do Congresso" era a legenda.

Na Índia, país de costumes bastante conservadores, fotos de biquíni são consideradas indecentes. E Sonia

Gandhi sempre havia sido alvo de preconceito — uma italiana de família de classe média que tinha se casado com o "príncipe" da dinastia Nehru Gandhi, filho da ex-primeira-ministra Indira Gandhi e neto do fundador da Índia moderna, Jawalarhal Nehru. Aquelas imagens indecentes se alastraram, acompanhadas das legendas mais indignadas.

Só um detalhe: não era Sonia Gandhi nas fotos. Aliás, nem se parecia com ela. Era a atriz suíça Ursula Andress, em cenas de um filme de James Bond.

Mas tanto fazia. As pessoas queriam acreditar que aquela mulher das fotos, tão diferente das indianas, tão estrangeira, era Sonia Gandhi.

Demonizar o estrangeiro sempre foi um recurso usado habilmente por políticos. Nada mais fácil do que culpar o intruso por tudo o que não vai bem.

O estranho pode vir na forma de uma onda de refugiados muçulmanos na Europa, milhões de sírios, iraquianos e afegãos que não comungam dos costumes cristãos, que conspurcam a civilização ocidental com suas burcas e sobrecarregam o já combalido estado de bem-estar social.

O estranho pode ser o hispânico nos Estados Unidos — aquele que o presidente americano Donald Trump chama de mexicano estuprador, traficante de drogas, que entra furtivamente pela fronteira para roubar o emprego dos outros.

A tecnologia, no entanto, facilita muito a vida dos populistas. Ninguém mais precisa achar um estrangeiro para ser o bode expiatório. Nas redes sociais, as milícias digitais se dedicam a fabricar estrangeiros.

A globalização popularizou a visão de que as pessoas constituem um grupo homogêneo, amorfo, de indivíduos que querem o melhor para todos e buscam o bem supremo, que é a democracia liberal.

Essa percepção não poderia ser mais equivocada.

Os ditos estadistas fazem apelos aos nossos valores compartilhados: somos homens, mulheres, judeus, muçulmanos, cristãos, de direita, de esquerda, todos unidos porque queremos o bem comum.

Já os populistas identificam o outro e dizem: essa gente é que causa nossos problemas. Essa gente pode ser judeus, muçulmanos, petistas, bolsonaristas, hindus, gays, evangélicos ou o "estrangeiro" da vez.

Eles constroem coalizões de apoio simplesmente ao identificar o outro. E sempre, sempre, o estado mental que une esses grupos é o ressentimento, a sensação de que são vítimas de uma injustiça, de que um outro grupo é protegido pelas elites e recebe mais do que merece. Décadas de políticas identitárias da esquerda colaboram para esse sentimento.

Para resolver os problemas, basta esse estrangeiro desaparecer. E as redes sociais são o veículo perfeito para levar mensagens incendiárias, muitas vezes falsas, que unem as pessoas em torno do inimigo comum.

Nada disso é novo, obviamente. Chamem do nome que quiserem, fake news, desinformação, mas o fato é que boatos sempre existiram, mentiras sempre foram usadas para tentar radicalizar segmentos da sociedade.

Durante a revolta de Canudos, as elites locais usaram a imprensa para disseminar e dar um verniz de legitimidade aos boatos de que Antonio Conselheiro queria derrubar a República e reinstituir a monarquia.

A diferença é que, hoje, a disseminação de rumores é infinitamente mais rápida e eficiente, nunca foi tão difícil distinguir verdade e mentira.

Além disso, as redes sociais permitem formar as famigeradas câmaras de eco, onde pessoas compartilham sentimentos que seriam condenados por elites intelectuais, como racismo e xenofobia. Nos grupos de WhatsApp, no Facebook e no Twitter, essas pessoas encontram facilmente seus pares e sentem-se à vontade para desabafar e exprimir suas opiniões. Livres de julgamento das patrulhas do politicamente correto.

Afinal, nada é mais fácil do que fabricar estrangeiros e demonizá-los para um grupo que já está predisposto a isso.

Naturalmente, seria muito confortável se pudéssemos imputar toda a culpa à tecnologia.

Mas a condescendência das supostas elites progressistas com o "povo ignorante e racista" é o que realmente está na raiz dessa construção de estrangeiros e disseminação de desinformação.

Em abril de 2008, quando a crise financeira mundial ainda não havia entrado em sua fase mais aguda, o então candidato a presidente Barack Obama defendeu a globalização, culpando os próprios órfãos dessa globalização por seus reveses. Referindo-se aos operários em cidades industriais do chamado Cinturão da Ferrugem americano, região no Meio-Oeste onde as indústrias estão em decadência há anos e o desemprego grassa, Obama afirmou: "Eles ficam amargos e se agarram às armas, religião ou antipatia às pessoas que não são como eles, ou a um sentimento anti-imigrante ou anticomércio, para explicar suas frustrações".

Do alto de seu passado acadêmico brilhante em Harvard e trajetória estelar como político negro que ascendeu, Obama expressava o desprezo da elite intelectual por esse pessoal racista.

Ele ainda conseguiria ganhar a eleição e a reeleição. Em 2016, Hillary Clinton não deu tanta sorte. A democrata disputou uma eleição no auge do fenômeno de revolta contra as elites paternalistas, mas não entendeu os seguidos recados dessa maioria que não era mais tão silenciosa.

"Generalizando, poderíamos pôr metade dos apoiadores do Trump no que eu chamo de cesto de deploráveis... Eles são racistas, sexistas, homofóbicos, xenofóbicos, islamofóbicos... Infelizmente, existe gente assim, e ele deu força a essas pessoas. Ele deu voz aos sites deles, que costumavam ter só onze mil seguidores, e agora têm onze milhões... Ele tuíta e retuíta a retórica ofensiva e maldosa deles. Algumas dessas pessoas são irrecuperáveis, mas ainda bem que eles não são a América", discursou.

Bom, o problema é que sim, essas pessoas são a América, pelo menos parte dela.

E dizer que foi um bando de brancos, pobres, racistas que elegeram Trump explica exatamente por que Trump foi eleito.

Isso me faz pensar no título do livro de Marcia Tiburi — *Como conversar com um fascista* (com a ênfase de que me refiro apenas ao título, não ao conteúdo da obra, que não li). Tachar o outro de fascista, desmerecer o interlocutor, é exatamente como não se deve iniciar essa conversa.

A irrupção de xenofobia em Roraima, que chegou ao auge em agosto de 2018, é um bom exemplo. Imagine se a cidade de São Paulo recebesse seiscentos mil refugiados em apenas dois anos. É mais ou menos isso que aconteceu em Roraima com a chegada dos refugiados venezuelanos — houve um aumento de 5% a 10% na população.

Boa Vista, a capital de Roraima, sempre figurava entre as melhores cidades do Brasil para se viver: uma capital planejada, limpa, que, ao contrário de São Paulo, não tinha população de rua visível.

De repente, a cidade passou a ter dois mil venezuelanos dormindo nas calçadas e mais trinta mil sobrecarregando os serviços públicos.

A reação da elite esclarecida, aí incluídas a mídia tradicional e as lideranças progressistas, foi assumir uma posição de superioridade diante "desse pessoal de Roraima", que não sabe que a coisa certa a se fazer é receber os refugiados, e só reclama porque é xenófobo e ignorante.

O fato era que algumas das reclamações da população de Roraima eram legítimas. Um surto de imigração em um estado isolado e com população minúscula é uma revolução. Aumentou a fila para atendimento no hospital público, que já era uma desgraça. Nas escolas, as salas de aula ficaram ainda mais lotadas, e os professores, que já faltavam muito, davam ainda menos atenção aos alunos.

Ao simplesmente desconsiderar as preocupações das pessoas de Roraima, exacerbou-se a sensação de que elas eram julgadas injustamente por gente de outros estados, gente que estava bem longe do problema.

É claro que reconhecer os impactos dessa migração não significa legitimar a discriminação contra os venezuelanos nem os ataques brutalmente xenófobos — como quando o pessoal de Pacaraima, cidadezinha na fronteira com a Venezuela, saiu queimando as barracas e os pertences dos venezuelanos que estavam nas ruas. Mas a dita elite esclarecida, ao assumir uma posição condescendente, aumenta a vitimização e o ressentimento daqueles que são afetados diretamente pela migração.

É nesse tipo de ambiente que as fake news em redes sociais vicejam — fabricam-se os estrangeiros, quando necessário, ou apenas se inflamam certos grupos em oposição a estrangeiros reais.

Quando estive em Roraima, havia uma tendência de usarem os refugiados como bode expiatório para todas as deficiências de serviços públicos já existentes no estado, muitas vezes disseminando inverdades pelas redes sociais.

Na época, fizemos uma espécie de estudo arqueológico para determinar as origens de um boato que viralizou pela internet.

Em um vídeo no Facebook, uma grávida chamada Alicie Marye Souza dizia que estava sendo expulsa da maternidade estadual Nossa Senhora de Nazareth, em Boa Vista, para abrir vaga para venezuelanas. Alicie dizia estar com quarenta e uma semanas de gestação e se recusava a ir para casa.

"Denúncia — gestantes brasileiras estão sendo retiradas da Maternidade Estadual para abrir leitos para gestantes que chegam da Venezuela", dizia Ezequiel Calegari, um candidato a deputado estadual que tinha uma página anti-imigrantes e fez um vídeo com a gestante. A então governadora de Roraima, Suely Campos, fazia eco, de olho nos dividendos eleitorais (que não foram muitos — ela perdeu de lavada). "Estão atendendo venezuelanos, e nossos brasileiros estão ficando para atrás, estou ocupando a vaga deles", disse ela em reportagem que fiz para a Folha na época.

De fato, a maternidade estadual havia tido um grande aumento no número de atendimentos por causa da chegada dos venezuelanos. Mas a história da gestante não era bem assim. Moema Farias, uma das diretoras da maternidade, me contou que a gestante não havia sido expulsa para dar lugar a uma venezuelana. Na realidade, Alicie estava com trinta e oito semanas e alguns dias, comprovados por ultrassom e exame médico, e não havia necessidade de mantê-la na maternidade, segundo a diretora.

A versão que prevaleceu, no entanto, foi a da "videodenúncia" da grávida, que serviu para galvanizar ainda mais o grupo de pessoas que culpavam os venezuelanos por todos os problemas do estado.

Logo depois da eleição de Bolsonaro, entrevistei Steve Bannon, ex-assessor de Donald Trump e líder do The Movement (O Movimento), grupo que promove populismo de direita no mundo.

Bannon explicou como as mídias sociais foram instrumentais para a eleição de Trump e de Bolsonaro, porque eliminaram o papel de intermediário, ou de "gate keeper", da mídia tradicional, e permitiram esse tipo de confraternização do eleitorado que se sentia desprezado por elites intelectuais. "Se não fosse pelo Facebook, Twitter e outras mídias sociais, teria sido cem vezes mais difícil para o populismo ascender, porque não conseguiríamos ultrapassar a barreira do aparato da mídia tradicional. Trump conseguiu fazer isso, Matteo Salvini e Bolsonaro também", disse Bannon. Ele chamava a mídia tradicional de "partido de Davos", parte de uma elite financeira, cultural, científica, corporativa.

Com os grupos de WhatsApp e o Facebook, pela primeira vez, esses eleitores, que eram tachados de racistas ignorantes e homofóbicos, conseguiam receber notícias com que concordavam e exprimir suas opiniões, sem terem que ouvir sermões politicamente corretos.

Eram pessoas que viam sua vida piorando, que se sentiam injustiçadas, e foi um alívio ter corroborada sua visão de que a culpa era do muçulmano, do venezuelano, do petista, do hispânico.

O eleitor do Bolsonaro, do Trump, do "Brexit" e da extrema-direita na Europa faz parte do mesmo fenômeno: a desesperança.

Esse eleitor tem a sensação de que as elites protegem minorias privilegiadas que "furam a fila", e ninguém pode criticar esse pessoal.

"Os políticos acham que seu patriotismo é de mau gosto, suas preocupações sobre a imigração são paroquiais, suas visões sobre crime são extremas e seu apego à estabilidade no emprego é inconveniente", disse a então primeira-ministra britânica, Theresa May, em 2016.

Nesse caldo de cultura de pessoas negligenciadas pela mídia e por políticos, entra a tecnologia, permitindo que elas vivam em suas bolhas, satisfazendo seu viés de confirmação.

Mas nem tudo isso é orgânico, apesar das juras de políticos que incitam esses movimentos. Aliás, muito pouco é espontâneo, embora instrumentos sofisticados façam parecer que as campanhas nas redes sociais são quase todas voluntárias.

Populistas empregam exércitos de robôs e softwares de automatização no Twitter, no Facebook e disparam mensagens em massa no WhatsApp para pregar para convertidos. Usam esses artifícios para inundar as redes com seu discurso, confiando que a sensação de ubiquidade também irá converter indecisos e manter os receosos a bordo.

A maioria das pessoas não tem consciência de que é constantemente manipulada por campanhas políticas e de marketing na internet — muito pouco do que ocorre hoje nas redes, seja um vídeo viral, uma hashtag ou foto, é espontâneo. As vozes artificiais são determinantes para que alguma coisa ganhe atenção online. Basta observar os resultados de eleições recentes ao redor do mundo. Cerca de um terço das vozes online falando sobre o "Brexit" eram bots. Essa foi quase a mesma porcentagem de bots na eleição do México em 2018 (não tenho números para o Brasil).

Existem os bots, que são máquinas, softwares de automação, e os "sockpuppets" ou "trolls", que têm humanos por trás — pessoas contratadas ou militantes políticos que se dedicam a "impulsionar" mensagens nas redes. A combinação dos dois é o que os torna mais poderosos, eles amplificam vozes, teorias da conspiração e notícias falsas. A combinação entre humanos, muitas vezes contratados, e bots é muito eficiente.

Para capturar a atenção das pessoas em meio à cacofonia de conteúdo, os populistas privilegiam mensagens inflamatórias, que exploram o ressentimento em relação ao estrangeiro e vilanizam grupos, religiões e ideologias políticas.

O próprio Bannon afirma que Bolsonaro faz comentários ofensivos em relação a gays, negros e mulheres — que ele chama singelamente de "comentários provocadores" — para conseguir ser ouvido em meio ao barulho, assim como Trump. "Os dois são provocadores. Eles são figuras mcluhanescas [que refletem ideias do teórico da comunicação Marshall McLuhan]. Bolsonaro e Trump entendem o poder da comunicação de massa. Nos anos 60, McLuhan nos falou que a mídia iria se tornar parte não apenas da cultura, mas também da política. E é verdade: hoje, a política é, na realidade, uma narrativa midiática".

Comecei a acompanhar o tema da manipulação da opinião pública nas redes sociais em 2014, quando cobri as eleições gerais na Índia.

O primeiro-ministro Narendra Modi foi um dos primeiros a usar o Twitter e as redes sociais como forma de se comunicar diretamente com o eleitor. Em menor escala, Barack Obama já havia feito isso em 2008, ao usar vídeos no YouTube e lives no Facebook na tentativa de eliminar o filtro da mídia tradicional.

Mas Modi era diferente, porque usava esses instrumentos de forma muito hábil para moldar a narrativa, muitas vezes se aproveitando de preconceitos existentes para fabricar os inimigos comuns.

Ele vem se aperfeiçoando. Em 2018, dois governos estaduais do partido de Modi distribuíram milhões de smartphones de graça como parte de um "Bolsa Família digital" para aumentar a penetração da internet nas comunidades pobres da Índia. Esses celulares vêm com um aplicativo Narendra Modi pré-instalado, que coleta dados sobre essas pessoas e transmite mensagens políticas. O aplicativo compartilha com o partido BJP, de Modi, informações do usuário como nome, telefone e lista de contatos. Esses dados podem ser usados pelo partido para direcionar de forma mais eficiente suas mensagens, numa estratégia conhecida como microdirecionamento. Esse microdirecionamento é um recurso maquiavelicamente eficiente para criar ou acirrar polarização pelas redes sociais.

Políticos obtêm, legal e ilegalmente, uma infinidade de dados sobre usuários de internet — faixa de renda, religião, localização geográfica, idade. No Brasil, softwares à venda na internet permitem extrair nomes, e-mails e telefones de grupos no Facebook — por exemplo, obter uma lista de homens integrantes de grupos de clubes de tiro, que se ressentem com propostas de legislação a favor do desarmamento, ou fiéis da igreja evangélica X, que são contrários à retirada de benefícios fiscais a igrejas.

Na Índia, há ainda menos restrição para venda de dados de terceiros. Usam informações das listas de eleitores, dados de conta de luz para determinar nível de renda, registros vazados pelas empresas de telefonia. O governo tem acesso aos dados das pessoas participantes dos programas sociais (algo que pode começar a ocorrer no Brasil em breve, segundo legislação em tramitação no Congresso).

Com tudo isso, é possível segmentar a população em grupos muito específicos, como: mulheres cristãs, de vinte a quarenta anos, que moram em certa região — e mandar a mensagem que será a mais eficiente para esse grupo, conforme me disse Shankar Singh, um estrategista digital que trabalha em campanhas políticas na Índia.

Ele me explicou que, nas redes sociais, os partidos avaliam os temas que mais reverberam com cada grupo — observando, por exemplo, em que anúncios as pessoas mais clicam. Aí bombardeiam pelo WhatsApp uma mensagem para um grupo de homens de certa faixa etária, de uma certa casta, dizendo que, se elegerem fulano, ele vai acabar o programa de assistência que as beneficia porque tudo irá para uma outra casta, exemplifica.

Em 2016, na eleição americana, que também cobri, o mesmo processo ocorria pelo Facebook e Twitter. "Robôs" russos distribuíam notícias falsas que mais causariam revolta em certas pessoas — eles microdirecionavam essas fake news, maldizendo o inimigo mais adequado para cada segmento da população.

Depois de acompanhar todo esse processo em vários países, ao longo dos anos, eu deveria ter imaginado que, um dia, eu poderia ser o estrangeiro da vez. Isso aconteceu no dia 18 de outubro, quando eu publiquei na Folha de S. Paulo uma reportagem sobre empresários bancando disparos de mensagens em massa por WhatsApp contra o PT. Pouco tempo após a matéria ser publicada, começaram a me destruir nas redes sociais.

Encontraram uma entrevista que eu tinha dado para estudantes da PUC em 2013. Nela, alguém me perguntava qual era meu posicionamento político. E eu, erro supremo, respondia: "Eu sou uma pessoa de esquerda, sempre votei no PT, mas isso não interfere na minha cobertura jornalística, todos os jornalistas votam em alguém, mas nossa obrigação é separar isso e não imprimir viés à cobertura". Obviamente, o vídeo foi editado, e o clip de cinco segundos — "Eu sou uma pessoa de esquerda, sempre votei no PT" — viralizou.

Em poucos minutos, eu tinha virado "putinha do PT", "vagabunda comunista", e daí para baixo. Houve uma multiplicação de memes com a minha cara, com as legendas — MENTIROSA, JORNALISTA PETISTA, etc. Bots no Twitter começaram rapidamente a moldar a narrativa e alçaram as hashtags #cadeasprovas e #marqueteirosdojair aos trending topics.

Começou a circular uma foto de uma mulher loira — totalmente diferente de mim — ao lado do Fernando Haddad em campanha, dizendo: "Gente, preste atenção, não é fake News — isto que está acontecendo é sério e realidade o que está máfia organizada estão fazendo para continuar no poder ...compartilhe, compartilhe, compartilhe — esta é a jornalista Patrícia Campos Mello, que fez matéria contra Bolsonaro na Folha".

Não era eu.

Recebi milhares de mensagens no Facebook, no Twitter e no Instagram. Ligaram para o meu celular com ameaças. Me mandaram ameaças mencionando meu filho. Fechei todas as minhas redes sociais.

Com auxílio de bots e trolls, que insuflam vozes mais radicais das redes e contaminam o resto, é possível, rapidamente, transformar uma reportagem em uma opinião paga pela esquerda, escrita por uma jornalista putinha do PT. A gente poderia facilmente trocar os adjetivos — opinião paga pelo partido do Congresso na Índia, escrita por uma jornalista que tem um amante muçulmano. Opinião paga pelo George Soros, escrita por uma jornalista judia. Opinião paga pelo Estado Islâmico, escrita por uma jornalista que defende extremistas islâmicos. E por aí vai, tudo depende do inimigo mais conveniente no momento.

Apontar estrangeiros como bodes expiatórios não é algo novo.

Mas fabricar estrangeiros — sejam eles muçulmanos, judeus, venezuelanos, petistas, fascistas — com ajuda de exércitos de trolls e bots nas redes sociais, mobilizando rapidamente segmentos da população em torno de narrativas muitas vezes falsas, é uma inovação assustadora, que veio para ficar.

E sempre haverá um novo estrangeiro a ser fabricado.

Parábola do não retorno
Juan Cárdenas

Cantes[1] **de ida e volta**
Vivi na Espanha durante quinze anos, entre 1998 e 2013. Mais do que espanhol, eu me considero madrilenho. Madri é minha cidade, a cidade onde virei adulto, onde estudei, aprendi a trabalhar e me inventei uma vida como escritor.

Minha educação é resultado de longas horas na biblioteca da Universidad Complutense e dessa bigorna intelectual e afetiva que são as conversas de bar. Meus amigos foram meus mestres, e meus templos de sabedoria se chamam Mariano, FM, La Mina, El Frontón, El Automático, El Palentino.

Nesses bares, durante a receosa calma da mudança de século, fui testemunha de uma belíssima transforma-

---

1   Gênero de canto popular andaluz ou próximo (N. T.).

ção no espanhol peninsular, que acabou por abrir-se para receber outros ritmos, outros léxicos, outras entonações modeladas em geografias remotas.

Não houve integração — e os cortesãos do purismo nacionalista ficam aflitos por conta disso —: houve mestiçagem ou, nas palavras de Oswald de Andrade, houve antropofagia. Espanhóis devorando *sudacas*[2] devorando espanhóis em um laço infinito de glutonaria feliz, apesar dos episódios de assédio policial nas estações de metrô, apesar dos esporádicos surtos de xenofobia, apesar do desprezo e da arrogância com que muitos disfarçavam seu medo, um medo atávico que o franquismo tratou de inculcar na alma do povo espanhol, medo à vida, medo ao amor, medo à fragilidade, medo à sedução da linguagem, medo aos deslizamentos de sentido e, por isso mesmo, apego irracional às formulas e às tautologias: é o que há, é o que é, as coisas são como são, não venha me confundir. Frases que, de tanto ouvi-las, se misturam na minha memória com as frases mecânicas, com esses lapsos induzidos, que escapam a cada tanto dos caça-níqueis: Prêmio! Avanço! Há, sem dúvida, algo robótico no terreno simbólico onde se joga *o espanhol*, isso que em psicanálise é chamado de compulsão à repetição. O termo que usam os freudianos no alemão, *Wiederholungszwang*, dá a entender que essa compulsão (*Zwang*) é também uma espécie de violência, de pressão externa que se manifesta como uma força interior. Existe muito disso na língua peninsular: uma raiva bufona vinda de não se sabe onde, um peculiar improviso, um permanente elogio do espon-

---

2 Adjetivo usado para se referir pejorativamente aos sul-americanos (N. T.).

tâneo, que, no entanto, aparece em cena como uma frase feita, como uma piadinha herdada. Os espanhóis são, basicamente, rapsodos; repetidores arrebatados, quase sempre automáticos, de um poema lendário cujo original se perdeu para sempre. Daí que muitas vezes prefiram cantar, porque no canto aparece muito melhor o que temos esquecido, o canto é sempre elegíaco, inclusive quando é atribuída a ele uma função jovial. Se canta a perda e, ao mesmo tempo, se canta para colher o tempo novo, o ar novo.

Eu vi isso tudo nos bares de Madri, falado, cantado e bailado. E, como vinha dizendo, fui testemunha de como essa cena se deixava contaminar por nós, os *sudacas*, os africanos, os antilhanos, os chineses, os mouros, de tal maneira que, afinal, esse "nós" passou a formar já não uma oposição abstrata, mas uma sopa concreta.

Naqueles mesmos anos, isto é, na primeira década do século 21, aconteceu outro fenômeno que também me atingiu de perto: o nascimento de uma saudável e espessa rede de editoras independentes. Seria ingênuo, além de pouco rigoroso, dizer que aquele fenômeno se limitou a uma mudança na lógica do mercado, porque essa transformação teve a ver, sobretudo, com a linguagem, com o idioma em que se escrevem os livros. E me atreveria a dizer que boa parte desse fenômeno nasceu nos bares, mais do que nos escritórios das editoras.

Da noite para o dia os editores já não resmungavam mais diante de um linguajar coloquial argentino ou mexicano no meio de um manuscrito. Pelo contrário, esses novos bichos estranhos da edição, conscientes de que o mundo estava mudando, atentos e sensíveis às profundas transformações que estavam acontecendo no interior do espanhol, começaram a se mostrar desejosos de que a literatura que publicavam refletisse a língua que estava se forjando na rua, uma nova língua que já não era esse espanhol de gosto paroquial das traduções de Anagrama ou Alfaguara.

Eu tive a sorte de participar desse processo com minhas traduções de literatura inglesa, norte-americana, portuguesa ou brasileira e tenho consciência de que foi nesse fogão que se cozinhou a fogo baixo a minha própria escrita, o meu idioma particular, mistura de tantos idiomas, de tantos dialetos, de tantas influências vindas de tantos mundos. Minha escrita é o resultado do cosmopolitismo plebeu dessa Madri decadente, suja e marginal, na qual vivi nos começos deste século.

Em um de seus famosos discursos, Fernando Vallejo, esse velho idiota e genial, adverte que o fantasma da Colômbia, com seu rastro de horror e beleza, não abandona nunca quem decide ir embora, quem escolhe o exílio. O fantasma da Colômbia é, diz Vallejo, persistente, teimoso, indestrutível e está sempre à espreita. Posso dar fé de que Vallejo tem razão.

Não é fácil explicar a vida dividida de um imigrante. Não é fácil fazer com que alguém que tenha nascido e crescido num mesmo lugar entenda o que significa ter a cabeça, a imaginação, o corpo, a língua repartidos entre dois mundos. Não é fácil fazer com que um sedentário incurável entenda o que se sente viver pendente dos horários, do clima, da situação econômica e política de um país remoto. Aqueles que, em algum momento, decidimos partir e nos instalamos, vale o oxímoro, nessa partida que não acaba, com frequência vivemos uma vida dupla, parecida com a dos espiões (se poderia dizer muito sobre os nexos entre essas duas figuras modernas: o agente duplo e o imigrante).

Durante os muitos anos que fiquei em Madri, muitas vezes minha imaginação — ou seja, a projeção do meu desejo — se recriava imaginando os espaços onde tinham transcorrido a minha infância e a minha adolescência: as estradas sinuosas, a luz da tarde nas montanhas, o vale do Rio Cauca, o Oceano Pacífico, as cidades anãs e as cidades gigantes, as casas de dois pátios. Não era tanto uma questão de paisagem, mas sim de território, o que é bem diferente. A paisagem é uma invenção romântica e, portanto, é uma fantasia bucólica que sublima e disfarça um projeto de dominação. Já o território é uma sedimentação de experiências e saberes dentro de uma geografia concreta. O território é uma criação coletiva; a paisagem é o resultado de uma perspectiva individual, inclusive em termos puramente técnicos e pictóricos, a paisagem é *um único ponto de vista*. O território, em troca, só acontece graças à simultaneidade de muitas perspectivas.

Eu só me fiz consciente de todas essas coisas no exílio, evocando desde a distância esses espaços, essas pessoas, essas vozes.

No final de 2006, fiz uma viagem longa por aquele que eu havia aprendido a assumir como o meu território: desde Quito, na serra equatoriana, até Cali, no Vale do Cauca, ao longo da Cordilheira dos Andes, dando uma volta pelo sudoeste colombiano; passei por Pasto, Popayán, minha cidade natal, Buenaventura, no Pacífico, e daí me adentrei na selva pelo Rio San Juan, remontando a corrente em direção ao coração das trevas do Chocó biogeográfico. Essa viagem — embora eu ainda não soubesse — ia ser crucial para escrever meus dois primeiros romances e foi, sem dúvida alguma, o germe do meu regresso à Colômbia.

Compreendi que esse território era como uma enorme biblioteca da qual eu só tinha lido um mínimo percentual. E o que é mais grave, se tratava de uma biblioteca sob permanente ameaça de destruição, ao meio de uma guerra que parecia não acabar nunca e que ninguém lembrava muito bem quando tinha começado. A outra descoberta dessa viagem foi que, nas cidades colombianas, quase como uma sofisticadíssima nota de rodapé daquela estranha e complicada guerra, havia um fervedouro cultural que continha uma intensa cena artística, musical, literária.

Senti, então, que estava perdendo algo e que, em algum momento, mais cedo ou mais tarde, eu teria que voltar e fazer parte de tudo aquilo que estava acontecendo em meu país.

Meu regresso não foi, nesse sentido, uma simples concessão à nostalgia. Antes, foi um projeto que tinha a ver com dar continuidade à minha escrita, foi um plano de contingência. Eu devia voltar para poder seguir fazendo os livros que me interessavam: já não mais os livros do exilado — essa figura tão glamorizada na tradição latino-americana —, mas os livros do retornado. Na minha escrita — onde sempre o cacho é tão cacheado que já não mais parece um cacho —, o gesto da fuga, o gesto do exílio aristocrático ficaria radicalizado na performance do Regresso. Mas regresso para onde? É possível sequer voltar a um lugar que, em certo sentido, eu já não poderia reconhecer como próprio? Por acaso não era verdade que todos esses anos de exílio tinham me convertido numa sorte de estrangeiro permanente, um cara estranho, com sotaque estranho, que falava um espanhol cheio de traços ibéricos, brasileiros, argentinos, mexicanos? E essa amálgama de dialetos e vozes que se juntavam nas minhas traduções e nos meus romances teriam cabimento em meu país de origem? Encontraria meu lugar aqui?

A essa altura, depois de cinco anos, já posso adiantar algumas conclusões: voltei, mas não necessariamente à Colômbia, senão a toda América Latina; ao mesmo tempo, tampouco sinto que eu tenha partido da Espanha, para onde volto com regularidade e onde continuo publicando meus romances; faço parte daquilo que o artista Pedro G. Romero chama "o Caribe afroandaluz", um território gigantesco que estendeu o Mediterrâneo até esse lado do Atlântico e inclusive muito mais para cá, até o corredor de selva, rio e mar que espreme as costas do Pacífico, entre o Panamá e o Equador; sou *sudaca* e sou madrilenho, sou mediterrâneo, sou africano, sou mouro e sou judeu, sou, para citar de novo Oswald de Andrade, "um tupi tangendo o alaúde". Sou um *cante* de ida e volta. E continuo quicando entre ambas as margens.

Vilis

Não foi um sonho, ainda que, por momentos, assim me pareça. Eu morava então no esplêndido prédio da Residencia de Estudiantes, graças a uma bolsa da prefeitura de Madri para escritores folgados. Numa residência de estudantes?, me perguntavam muitas vezes os incautos. E eu, presumido, com uma sobrancelha levantada, respondia: não, não é uma residência de estudantes, é La Residencia de Estudiantes. Onde viveram, onde se conheceram Lorca, Dalí e Buñuel. Onde, reza a lenda, se reuniram as ideias que dariam origem a *Um cão andaluz*. A navalha-nuvem que dilacera e derrama a substância viscosa do olho-lua. Mas a verdade é que eu morava ali e, quando a gente se acostuma com um lugar, por lendário ou emblemático que ele seja, é impossível não acabar sentindo que se trata de um espaço vulgar, tão pouco interessante quanto qualquer outro. Não há nenhuma coisa sublime que resista às marteladas da vida cotidiana. Por outro lado, se alguma coisa tinha me caracterizado desde a mais terna adolescência, era meu desprezo pelas mitologias artísticas, meu desdém punk contra a idealização e a reverência ao prestígio dos artistas. No fundo, pouco me importava viver na residência onde tinham vivido Lorca, Dalí e Buñuel. Eu só precisava fugir dos rigores laborais de Madri durante uma temporada e por isso tinha solicitado essa bolsa, que me permitia viver com certa tranquilidade. Essa era a verdade: eu estava ali para economizar o dinheiro do aluguel, estava ali para recuperar uma parte do tempo desperdiçado numa cidade vampira que te suga até os ossos.

Numa tarde de primavera, depois do almoço, fui caminhar pelos jardins que rodeiam o pavilhão conhecido como o Transatlântico. Não foi um sonho, embora eu quase tenha vontade de contá-lo como se contam os sonhos. Eu estava passeando por um roseiral, envolvido pelo cheiro do alecrim, quando me deparava com um velhinho sorridente. Madeixas de cabelo branco escapavam da boina azul. Nos cumprimentávamos com uma leve inclinação de cabeça e, embora tivéssemos o impulso de seguir adiante em nossos respectivos passeios, ambos sentíamos uma inexplicável curiosidade. Então parávamos para prolongar o cumprimento, dávamos um aperto de mãos. Você mora aqui?, me perguntava o ancião. E eu lhe explicava que sim, que era um dos bolsistas. Ah, ele dizia, essa é uma boa notícia, porque isso quer dizer que amanhã você vai vir à minha oficina de poesia. Lorenzo García Vega, muito prazer, se apresentava o velho e eu ficava admirado de que ele tivesse pronunciado seu nome sem solenidade alguma, não como quem tira um troféu do bolso e o coloca em cima da mesa, mas com a picardia de quem desconfia da capacidade da linguagem para nomear o mundo. Dizia seu nome como quem faz uma alegoria visível do vazio constitutivo do ato de dizer: Lorenzo García Vega, ou seja, nada, ninguém. E, ao mesmo tempo, estava aí o nome, como o fio quase invisível e cortante de uma navalha. Navalha que corta o olho, olho que não vê a lâmina dilacerante, que derrama sua viscosidade no jardim.

    Então, lá estávamos nós, um ancião e um cara de trinta anos, sentados em meio ao aroma do alecrim, conversando sobre a literatura de nossos países, Cuba e Colômbia, e lembro que fazíamos isso sem nenhuma convicção, sem uma paixão especial. Mais do que a literatura ou os seus protagonistas, nos interessava detectar o caráter, a marca. É como se vocês não tivessem relato, dizia o ancião, querendo dizer que Colômbia era um significante demasiado carregado de semantomas e, por isso mesmo, vazio. Semantomas?, perguntava eu, intrigado com a palavrada. E o velho me dizia que era como um significado inchado, inflamado, um hematoma semântico, produto de uma pancada ou de muitas pancadas no corpo do significante. Eu apenas conseguia responder um vago "já...". Mas Cuba também está prenhe de semantomas, dizia ele, só que nós nos condenamos de outra forma, com a mitologia de umas origens. Vivemos presos nesse âmbar arcano, como mosquitos pré-históricos.

Eu tentava acompanhar seus pensamentos, mas não era fácil.

Depois falávamos sobre os sonhos. O ancião me perguntava se eu pertencia à parte da humanidade que acha os sonhos pouco ou nada interessantes. E eu, que naquela época mantinha um diário onde anotava meus pesadelos, me apressava a contar que o assunto me parecia crucial, como quase todos os discursos que o mundo moderno tem relegado à lixeira da história, o mesmo acontece com o discurso amoroso, eu disse. O discurso amoroso e o discurso dos sonhos são a parte negada do discurso político. O coração da política — o coração arrancado da política no ritual de sacrifício da economia de mercado —- consistiria em poder dizer publicamente o que amamos e o que desejamos. Por isso me parece que os sonhos são muito importantes. O velho me escutava com atenção e, depois de pensar em silêncio sobre o que eu acabava de dizer, me falava de um livro que ele tinha escrito um tempo atrás. Uma novela curta, dizia o ancião, chamada *Vilis*. Nela, eu conto uma historieta fantástica que fui armando com os fragmentos de todas as cidades onde eu já vivi. Boa parte do material do livro vem dos sonhos, nos quais, como você bem sabe, a gente vai montando partes de lugares diferentes, a avenida de uma cidade que desemboca no teatro de outra cidade, pedaços de Paris com pedaços de Nova Iorque, a escadaria do Capitólio de Havana, em cuja saia se estende uma rua do centro de Caracas. Você entende. E como não entender se naquela mesma época eu registrava no meu diário vários fenômenos semelhantes: o retalho limenho que culmina não na Plaza de Armas, mas no gélido parque de uma desolada cidade da pradaria canadense, o rio de ouro lisboeta rodeado de barracos de Medellín.

Se isso acontece contigo, dizia o velho, se os teus lugares de referência já se misturaram dessa maneira, você já não vai conseguir regressar. Disso não se volta nunca.

Assim me falava o velho naquele jardim primaveral. Não foi um sonho, embora pareça.

Éramos dois exilados irreversíveis, não retornáveis, fugidos de dois infernos muito diferentes, dois infernos talvez complementares, intercambiando impressões. Dois excluídos do paraíso que, sem saber, desprevenidos, discutem seus sonhos sob a luz afiada da morte.

Os dados oficiais confirmam que Lorenzo García

Vega morreu dois anos depois dessa breve conversa. Eu continuo vivo, suponho. Às vezes, porém, acordo de meus pesadelos achando que ambos habitamos numa mesma cidade espiritual feita de fragmentos de outras cidades, onde somos quase ninguém, um pouco nada, ao abrigo de tantos nomes.

A telenovela atávica

Num capítulo magistral da série *Atlanta* (episódio 7, temporada 1), se apresenta a personagem de Harrison, cujo nome original é Antwoine Smalls, um jovem negro que afirma se sentir um homem branco de trinta e cinco anos, natural de Colorado, um ser humano em situação de "transracialidade", como o definem no programa de tevê em que lhe dedicam uma breve matéria. "Quando você soube que era um homem branco?", pergunta o entrevistador. O jovem responde: "Sempre me senti diferente. Vou nas lojas, ao cinema e penso: por que não me tratam com o respeito que eu mereço? Então, um dia eu percebi: eu sou branco! Ah, e tenho trinta e cinco anos". Não vou me deter para analisar todos os substratos de significado que há nesse magnífico episódio da série, sem dúvida uma das sátiras mais agudas a que eu tenho assistido sobre as ansiedades raciais, mas eu quero reparar num detalhe passageiro, algo que poderia parecer uma piada sem muitas implicações. Num momento do episódio, o jovem "transracial" para em frente a um espelho e pergunta para si mesmo com sotaque de homem branco: "E aí, você assistiu *Game of thrones* ontem à noite?". Me pergunto por que essa referência funciona aqui como uma marca racial do estereotipicamente branco e desconfio que não se deve apenas ao fato, mil vezes denunciado, de que a exitosa série não tem nenhuma personagem negra, latina ou asiática em nenhum papel relevante. Suspeito que sua "branquitude" tem a ver com a estrutura subjacente de toda a série, ou seja, a rede arquetípica da telenovela. Afinal, *Game of thrones* é uma saga interminável, um dramalhão, sobre a legitimidade das linhagens e a intervenção de forças providenciais que devolvem o bastardo, os filhos ilegítimos, ao seio das dinastias, tal e como acontece nos clássicos melodramas televisivos latino-americanos, onde a recomposição dos laços familiares transtornados põe os heróis numa situação ideal para perpetuar fortunas, matrimônios e alianças de poder.

Game of thrones parece ter reativado o inconsciente global da telenovela, reconhecível inclusive no tipo de apego febril que a série produz em seus fãs, um inconsciente que deseja a restauração de uma ordem atávica, até mesmo mágica, capaz de pacificar o mundo e pôr cada personagem em seu lugar segundo uma hierarquia natural. Como interpretar, senão sob esse prisma, o final da série, com o ex-bastardo Jon Snow restituído à linha oficial da família, reordenando funções de cada linhagem depois de trair e destruir a única forma revolucionária que ameaçava destruir, precisamente, o sistema de linhagens e castas eternas? Em *Faulkner, Mississippi*, Édouard Glissant propõe uma singular dicotomia que nos permite dar algo de contorno teórico a essas observações empíricas sobre a "branquitude" e sua obscura origem feudal.

"Nas culturas atávicas", escreve Glissant, "(onde a comunidade se define em referência a uma gênese, a uma criação do mundo à qual se encontra absolutamente ligada mediante uma filiação de pais e filhos sem interrupção, quer dizer, sem ilegitimidade), a relação ontológica com o território é tão próxima que autoriza não só a ampliar esse território — o colonialismo —, como também a prever, em função da legitimidade desse vínculo, o que está por vir, o que vai ser conquistado, o que vai ser descoberto, é o poder da previsibilidade [...]. As culturas compostas nascem a partir da expansão do Ocidente, com o choque e a mistura de tantos atavismos contraditórios. Não geram nenhum mito de criação do mundo, se contentam com adotar algum dos antigos atavismos que lhes têm sido propostos. Para essas culturas compostas, a expansão colonial não estará naturalmente legitimada e terá que procurar *outras razões*".

Então é a filiação direta, sem ilegitimidade, entre pais e filhos, que permite reclamar uma relação de dominação natural sobre um território. E, por isso mesmo, a origem de todos os males, a ausência de um direito para exigir a posse de um território, provém da condição de bastardia, da mistura, da confusão. Para ninguém é um segredo que a branquitude, como construção cultural e histórica, é resultado dessa dicotomia, pois o branco se define por uma certa associação imediata, autoevidente, entre "limpeza de sangue" e direito de posse, entre "boa genética" e respeitabilidade; as outras ficções raciais e, sobretudo, *o negro*, se situaram de forma violenta num espaço onde de nada valia reclamar uma genealogia. Um dos objetos de escárnio na piada do sujeito transracial de *Atlanta* é a ansiedade das culturas sem linhagem que odeiam sua condição (ou seja, quase todas as culturas humanas num mundo pós-colonial), o desejo inconfesso de que, como nas telenovelas, a volta de uma ordem natural das dinastias — uma ordem que talvez apenas exista numa certa concepção medieval do mundo — nos dê um lugar garantido ontologicamente. "O que é Yoknapatawpha?", se pergunta Glissant, referindo-se ao mítico povoado das ficções de Faulkner. "Um país composto que sofre por querer ser uma comunidade atávica e sofre ainda mais por não consegui-lo".

Bárbara

No ano passado, como parte de um processo de duelo pela morte da minha avó Paulina, fiz o exercício de transcrever umas anotações manuscritas que ela me deixou num caderno. O primeiro que, com algo de esforço, pude ler em sua letra precária de pessoa sem educação formal é o seguinte: "Juan, quando eu tinha 12 anos perguntei para minha vovó por que nós não temos ancestrais ou família como o resto das pessoas e ela me respondeu que era porque ela descendia de um ramo que tinha sido arrancado de uma árvore muito frondosa, que num inverno acharam que estava contaminado e o cortaram e o jogaram ao vento".

Chamou a minha atenção, primeiro, que o texto iniciara com a fórmula de uma carta, marcando a identidade do destinatário. Mas também que seu relato deixasse claro desde o começo que nós, a nossa família, *não tinha ancestrais*. Em algum ponto tinha se interrompido o vínculo ou, melhor, tínhamos sido arrancados completamente como se cortam os ramos doentes de uma árvore. "Tive que insistir muito para que me contasse por que ela nunca falava de seu passado", continua a história de Paulina. "A família dela eram seus filhos. Mas eu insisti tanto que me contou e me disse que não repetisse aquilo, que não o contasse para ninguém, tamanha era a sua desgraça. E, nesta sociedade tão hipócrita — no tempo dela, ainda mais —, para que dar aos outros armas para que batam onde dói mais, na mãe da gente. A mãe dela, Gertrudis Villaquirán Delgado, tinha sido filha de uns ricaços daqueles que procuravam babás para que lhes criassem os filhos e ela, Gertrudis, tinha sido criada por uma negra chamada Bárbara, que, naquele momento, estava casada com um pedreiro e morava em Yanaconas. Pois bem, aos quinze anos, essa pobrezinha menina tão bem cuidada caiu em desgraça, numa época em que a honra da família era depositada pelos machos nas bocetas das mulheres e coitada daquela que ousasse dispor de sua sexualidade sem o consentimento de toda a família. Então ela pecou e jogou na lama a dignidade daquela família ilustre e, para que não matassem a criatura, foi se refugiar no barraco da negra Bárbara em Yanaconas, que foi a única que a amparou e a manteve escondida por muito tempo. Ela ficou ali, depois de ter tudo na vida, vivendo do pouco que conseguiam juntar. Aos dezessete, com uma filha no colo, se deixou enrolar de novo e teve outro filho, que se chamou

Luis Carlos Villaquirán, e isso foi ainda pior para aquela coitada menina a quem não deixaram amadurecer. E o segundo homem também lhe falhou. Ela foi se deixando consumir pela pena moral até que morreu, deixando dois filhos órfãos, sem outro amparo que uma pobre negra que, por sua vez, já tinha cinco filhos. Uns familiares do pai foram buscar o menino e levaram ele para morar no exterior, dizia minha avó. Ela não gostava de contar nem de lembrar disso porque chorava sempre que o recordava. Ela ficou, com cinco anos, sob cuidados da negra, que tinha um filho negro como ela. Os outros filhos eram mais ou menos brancos pois o marido de nome Rubén era branco. Ou, melhor, cor de índio".

O que minha avó Paulinha me revelava nessas anotações era algo que eu já sabia fazia muito, mas que, assim, lido de seu próprio punho, ganhava uma dimensão nova, mais determinante, se possível. Minha família começou com uma gravidez acidental de uma mocinha de uma boa família do Cauca. A pecadora foi expulsa do paraíso das heranças por macular a honra da estirpe com um filho "natural", como eram chamados os filhos que nasciam fora do matrimônio.

A jovem Gertrudis, desprezada pelos seus, vai viver com sua babá, a negra Bárbara, em um barraco pobre de Yanaconas, uma vila da periferia de Popayán e, depois de uma segunda decepção amorosa, morre e deixa dois filhos órfãos, um menino e uma menina. O menino é levado para viver no exterior e a avó da minha avó, Clemencia, cresce com a negra Bárbara, como uma filha a mais, na extrema pobreza.

"*Origin is your original sin*", escreveu o poeta A.R. Ammons, "a origem é o teu pecado original", versos que parecem dedicados à avó Clemencia e também à minha avó Paulina, que se deu ao trabalho de deixar por escrito esse relato no seu caderno para conjurar esse pecado, para romper com algo que sentia como uma maldição familiar — a bastardia, os filhos "naturais", sem acesso a heranças, sem direitos territoriais, sem educação, coisas que se repetiram com precisão mecânica nas seguintes gerações — e, por último, penso agora, também para me oferecer a escolha da minha linhagem, nossa dupla linhagem como uma linha descontínua e orgulhosamente quebrada, fantasmal por momentos. Porque somos os filhos da desgraçada Gertrudis, claro, a mocinha de boa família que se deparou com uma morte prematura após ser amputada como um ramo apodrecido. Mas somos também — e acima de tudo — os filhos da negra Bárbara, cujo sobrenome ninguém lembra. Mamãe Bárbara. Aquela que fez possível que sobrevivesse a avó Clemencia e toda sua estirpe de mulheres solteiras, modernas e liberais, que souberam fazer suas vidas de proletárias ilustradas sem falsos prestígios, sem sobrenomes, sem peões, sem terras. Graças a Bárbara existiram a filha de Clemencia, chamada também Bárbara, e finalmente minha avó Paulina. Bárbara, com toda certeza filha e neta de escravos, deixou sua pegada no caráter de todas essas mulheres. A você e só a você, Bárbara, que nos ensinou a falar, que nos ensinou a estar no mundo, a meter o corpo entre outros corpos, devemos tudo.

O fantasma

As linhagens são um elemento essencial das mitologias nacionais e, com frequência na literatura latino-americana, sucedeu que as duas coisas — dinastia e pátria — apareceram juntas sob o signo de uma condenação que vai além das classes sociais e dos sobrenomes. Se trata de uma condenação cósmica, tão primitiva, tão tirada da noite dos tempos, que não a vemos vir, apesar de que se anuncia com todo tipo de indícios. Desde os romances das famílias santiaguinas de José Donoso até a portentosa *El desierto y su semilla*, de Jorge Barón Biza, passando por *Pedro Páramo*, *Cem anos de solidão* ou, mais recentemente, pela virtuosíssima *Tempoada de huracanes*, de Fernanda Melchior, só para dar alguns exemplos, se exploram as diferentes manifestações daquela condenação própria de culturas compostas que sofrem em sua tentativa vã de se converter em comunidades atávicas. Por outro lado, Glissant detecta em Faulkner — avô imaginário (i)legítimo dos romancistas latino-americanos — outra figura de nosso trauma: a impossibilidade de fundar, a fundação impossível, o impossível da fundação, que por vez dá lugar à viagem errática. É claro que você pode experimentar essa viagem errática como uma nova face da condenação, mas também é possível transformar essa errância numa alternativa ao sistema de domínio territorial, exemplificado em Glissant no jogo de futebol americano, onde é preciso ganhar o território palmo a palmo, traçando uma e outra vez as fronteiras entre o próprio e o alheio. "A viagem errática", diz Glissant, "consiste no contrário: na capacidade de se manter em vivo suspense, longe das certezas fundadoras e sistemáticas; é a pulsão dos heróis épicos e exteriores que reforçarão a raiz ou compensarão a sua ausência. Mas como? Afirmando ou sugerindo que a raiz e a ausência são o mesmo sustento, que o enraizamento não deveria ser excludente nem permitir a projeção direta, o impulso de conquista. Precaução (a viagem errática como vertigem do enraizamento) que os grandes livros fundadores estabeleciam, e que seus adeptos em seguida esqueceram, retendo apenas a parte excludente que esses livros manifestavam".

Eis aqui, em poucas linhas, um plano de fuga para evitar a Grande Condenação Cósmica que a literatura latino-americana, presa numa absorção acrítica da metafísica de Faulkner, continua reforçando como Destino Manifesto, como relato único que subjaz em todos os relatos.

Não sei se tem muito a ver, mas por algum motivo me parece pertinente contar isto agora, como encerramento ou como fuga, talvez.

Era fevereiro de 2007 e eu viajava num ônibus de volta para o Equador, depois de ter feito uma longa viagem pelo Pacífico colombiano. Meu plano era chegar a Quito e, na manhã seguinte, pegar um voo que me levaria até Madri. Na fronteira de Rumichaca, não tive problema nenhum. Simplesmente desci do ônibus, peguei um táxi, que, por alguns dólares, me conduziu até a estação rodoviária de Tulcán, em solo equatoriano. Não carimbei meu passaporte porque naquela época eu tinha status de refugiado político na Espanha (outra longa história) e, se as autoridades percebessem ou sequer suspeitassem da minha entrada na Colômbia, eu teria perdido automaticamente minha condição de asilo. De tal forma que eu havia passado ilegalmente uma temporada no meu próprio país e agora me encontrava cruzando uma fronteira que supostamente não devia, sob pena de virar uma espécie de fantasma jurídico.

Comprei uma passagem no ônibus seguinte com direção a Quito. Durante alguns instantes tive medo de que algum dos muitos policiais que andavam por aí me pedisse meus documentos, mas fui sistematicamente ignorado. Minha cara não devia despertar suspeitas. Afinal, eu podia passar por um turista qualquer, com minha pele branca e minha cara de português ou italiano comum. Por uns segundos, aquele privilégio racial me deu, inclusive, uma alegria pueril. Quando o ônibus arrancou, eu voltei a me sentir seguro. A minha fuga seguia seu curso. Encostei a cabeça no vidro da janela e cochilei com a imagem sonolenta da paisagem andina, com seus ordenados e florescidos cultivos de batata. Assim, nesse estado de letargia, se passou quase uma hora de caminho.

De repente, o ônibus parou. Havia uma blitz da polícia rodoviária equatoriana. Pediram para mostrarmos nossos documentos. Não tive tempo de reagir ou de preparar uma tática de evasão. O agente que examinou meu passaporte de imediato suspeitou. Fui a única pessoa obrigada a descer do ônibus. Abriram o bagageiro para revisar minha mala. Meu coração estava desbocado, eu respirava com dificuldade e minha voz saía muito aguda quando eu respondia as perguntas agressivas dos policiais.

Tudo o que veio depois ficou enevoado na minha memória, sem nenhuma clareza na ordem dos acontecimentos. Vejo a minha mala aberta no chão, dois agentes jogando o conteúdo pelo ar, toda minha roupa, meus livros, meus documentos. Outro agente arrancando folhas de meu passaporte. Gargalhadas de maldade e ressentimento nas quais me pareceu escutar a música de *La condena*. Você não pode estar aqui, repetiam, você está infringindo a lei. Eu me defendia timidamente: estou no Equador, estou em meu direito de estar no Equador. Sim, mas você esteve na Colômbia, me respondiam, você esteve na Colômbia ilegalmente. Me lembro de estar chorando, tentando negociar, lágrimas de raiva e de impotência e de assombro pelo ódio inexplicável que esses policiais me demonstravam. E o que importa para vocês o que eu fizer?, eu implorava, fui ver minha família, fui viajar pelo meu país.

Então apareceu um supervisor e, nesse mesmo instante, os risos de maldade cessaram. Por um momento achei que eu tinha me salvado, mas aquele personagem era ainda pior do que os outros agentes. O homenzinho, um senhor de uns cinquenta anos, incapaz de sorrir, me levou até a beira da estrada e me deu duas opções: ou eu dava para eles todo o meu dinheiro ou eles iam meter cocaína na minha mala e iam me levar preso, condenado por narcotráfico. Você vai pegar uns dez anos de cadeia, no mínimo, se não cooperar. E, óbvio, eu cooperei. Dei para eles, ou melhor, me tiraram tudo o que eu tinha, até a minha carteira com os cartões bancários.

Depois me levaram até um galpão com teto de zinco, onde funcionavam seus escritórios provisórios, e me deixaram ali, algemado, durante um par de horas. Queriam ter certeza de que eu não tivesse nada indevido na minha bagagem, foi o que disseram. Minha capacidade de protesto tinha sumido por completo, já nem chorava. Me colocaram sentado de frente para uma escrivaninha coberta de papéis e eu sentia meu interior endurecendo conforme passavam os minutos.

Por fim, apareceu um dos agentes e me tirou as algemas. Sua mala está lá fora, ele disse, vai embora logo e não volte nunca mais por aqui. Da próxima vez vamos botar você na cadeia, igual ao que fazemos com todos os *colombianitos* como você.

O que lembro na continuação é que me deixaram subir num ônibus. Eu tinha achado, como por milagre, quinze dólares esquecidos num bolso interno da jaqueta. Com isso consegui chegar até Quito, me registrar num hotel da pior categoria no centro e telefonar para meus pais na Colômbia para contar o que tinha acontecido. Horas depois, minhas mãos ainda tremiam. Minha mãe tinha amigos em Quito. Assim consegui que me emprestassem cem dólares com a promessa de que, chegando a Madri, eu lhes faria uma transferência através da Western Union.

Essa noite, depois de comer numa *chifa*[3], entrei no quarto do hotel e fiquei horas imóvel, sentado numa poltrona de couro barato. Senti que, simplesmente, precisava ficar quieto, escutando minha respiração, a vibração das luzes elétricas, os sons estranhos que chegavam desde outros quartos. Sobre uma mesinha estava minha câmera

---

3   Restaurante popular que mistura ingredientes, técnicas e pratos chineses com a tradição culinária do lugar (N. T.).

digital, um modelo velho e pesado, de má qualidade, que os policiais não quiseram pegar. Eu suponho que apertei algum botão sem querer. Ao menos eu não me lembro de ter tocado a câmara durante todo o tempo que fiquei sentado ali. Umas horas depois e, a essa altura, já nada me surpreendia, descobri que a câmera tinha tomado por iniciativa própria, sem que a minha vontade participasse, esta fotografia:

Tradução de María Elena Morán.

Pátria
Bernardo Carvalho

1. *(O ator, um homem de meia-idade, está em pé, as cortinas fechadas às suas costas)* Aqui nem velho pode falar sozinho. As paredes têm ouvidos. Melhor ficar calado. Não estou falando. Estou pensando. Isto que estão ouvindo é o meu pensamento, o pensamento de um velho. Há cerca de cinco anos, quando afinal me libertaram, concebi um plano ao voltar para cá, para este apartamento de refugiado que me designaram quando cheguei a este país. Se os velhos costumam falar sozinhos quando estão sozinhos, e porque estão sozinhos, e se estou sozinho e já posso ser considerado velho depois de todos estes anos preso, por erro, é claro, um erro corrigido quando já era tarde e eu já havia perdido a juventude, e depois de todos estes anos sozinho, será possível afinal enganar as paredes e contar-lhes uma história, sempre a mesma, que as faça acreditar que perdi a cabeça e me esquecer de uma vez por todas? Foi o que pensei quando voltei da prisão para este apartamento de refugiado. Comecei a contar a mes-

ma história para que as paredes pensassem que eu tinha perdido a razão e me esquecessem. E de tanto ouvir a mesma história, porque não falava com mais ninguém, porque tinha medo de que me prendessem de novo ou, pior, que me mandassem de volta para o país de onde eu venho, acabei acreditando na história que ia contando e me esquecendo de mim. Não há nada melhor para quem tem medo de voltar para o lugar de onde veio do que se esquecer de si. A cada repetição a história ganhava um novo contorno, um polimento que a tornava ainda mais absurda. E quanto mais absurda, mais eu acreditava na minha nova biografia. Foi essa história sem pé nem cabeça que contei ao estrangeiro que acaba de sair daqui e que apareceu de repente e me pegou de surpresa cinco anos depois de eu ter sido libertado e de ter voltado para este apartamento. Pensei que bastaria eu contar a história para ele sair daqui correndo e achando que veio ter com um louco. Não planejei nada. Fui pego de surpresa e, se repeti a história concebida para as paredes, foi porque já não me ocorria outra. Foi a primeira coisa que me passou pela cabeça, naturalmente. Sim, naturalmente. A história que inventei quando voltei da prisão esgotou a minha capacidade imaginativa. Suponho que todo mundo tenha uma cota de invenção. Gastei a minha com essa história sem pé nem cabeça na qual passei a acreditar de tanto repetir às paredes. E, de tanto repetir essa história, um dia cansei. E passei a não dizer mais nada. Mais de um ano sem abrir a boca. E foi só porque já não falava com ninguém nem dizia nada, porque estava desacostumado de falar, que naturalmente, como se diz, ou se dizia quando eu ainda falava, numa reação impensada, automática, voltei a contá-la, a mesma história de antes, quando o estrangeiro bateu à porta, faz o quê? Uma hora? Duas? Se corresse, era capaz de pegá-lo na esquina. *(entreabre as cortinas às suas costas)* Até me surpreendi por ainda conhecer a história de cor depois de um ano em silêncio, quando já achava que nunca mais ia ter de contá-la, porque já não tinha serventia, as paredes já estavam convencidas. Não imaginava que um estrangeiro pudesse vir bater à minha porta. Quer dizer, já não imaginava. Porque a verdade é que antes ele mandou uma carta que li e rasguei, ou não rasguei, guardei no fundo de uma gaveta, numa pilha de cartas falsas que escrevi para mim mesmo depois de voltar da prisão para este apartamento de refugiado, quando comecei a contar a história, alto, para que as paredes me ouvissem. Escrevi cartas para comprovar a história sem pé nem cabeça que ia contando às paredes, como se os personagens da minha história as tivessem escrito e me enviado, no caso da polícia voltar a aparecer aqui de repente com um mandado de busca e apreensão. Escondi a carta do estrangeiro na pilha de cartas falsas que eu mesmo havia escrito, no fundo de uma gaveta, como se fosse mais uma, com medo de que alguém a achasse e, contradizendo a história que eu já não contava às paredes fazia um ano ou mais, por achar que estivessem convencidas, pudesse me prender de novo ou, pior, me mandar de volta para o país de onde eu vim. Por que não rasguei a carta em pedacinhos minúsculos? Porque nunca confiei no lixo. Uma carta de verdade, enviada por alguém de verdade para alguém que já não recebe carta nenhuma além das falsas que escreve para si mesmo, é o maior risco de todos. Embora haja outros. Foi por ter ficado sem resposta que o estrangeiro acabou telefonando quando eu já não esperava que ligasse. Sim, queria me ver. Respondi o que já estava preparado para responder sempre que telefonassem, embora ninguém telefonasse desde que voltei para este apartamento; disse que era engano e, para que as paredes não tivessem dúvida, repeti bem alto que era engano: "Não tem ninguém aqui com esse nome", e bati o telefone na cara dele, antes que pudesse me comprometer ainda mais. Eu podia simplesmente não ter atendido. Mas isso tampouco o impediria de vir bater à minha porta, ao contrário, isso o encorajaria a aparecer aqui semanas depois para averiguar, quando eu já acreditava que ele tivesse desistido, já não pensava que pudesse aparecer, embora na verdade o tivesse esperado desde que pus os pés aqui, desde muito antes de ser preso, e tivesse me preparado para este dia e para esta eventualidade, quando já não seria possível impedir a sua vinda a este apartamento. Na verdade, quando abri a porta, faz o quê?, duas horas?, e deparei com ele, não tive nem tempo de reagir de outra forma. Quando dei por mim, eu já estava contando a história de novo, a mesma que repeti às paredes e já não repetia fazia um ano ou mais e que era a prova de que eu tinha perdido a razão. Repeti automaticamente, naturalmente, como se o estrangeiro trabalhasse para a polícia e estivesse aqui à paisana, para que entendesse de uma vez por todas que estava diante de um louco e que não adiantava insistir, fazer perguntas, não ia arrancar nada de mim além de disparates e sandices, melhor ir embora e nunca mais voltar. E por isso nem cheguei a barrar seu caminho. Nem cheguei a tentar fechar a porta, impedindo a sua passagem. Bastou ser pego de surpresa, bastou-me abrir a porta, esperando encontrar algum vizinho e ver a figura inesperada de um desconhecido, pior, um estrangeiro, para lhe dar as costas e voltar a contar, como uma máquina desgovernada, a história que fazia um ano ou mais eu já não contava às paredes, mas que ainda conhecia de cor, como se a tivesse repetido na véspera. Nem cheguei a perceber que ele já estava aqui dentro e que fechara a porta às suas costas. Nem cheguei a ver a expressão no seu rosto. Ou talvez a tenha visto antes de lhe dar as costas e começar a contar a minha história louca. Esperava que o poder da história naturalmente o fizesse sair daqui correndo, descer as escadas correndo, para nunca mais voltar. Mas não. Ele não só já estava dentro do apartamento como tinha fechado a porta às suas costas e me ouvia contar mais uma vez a história contada um milhão de vezes às paredes ao longo dos anos, para que entendessem que eu estava louco, que voltara louco da prisão, e me esquecessem. Eu podia ter dito: "O que é que você veio fazer aqui? Por que não me esquece? Por que não me deixa em paz?" Mas seria reconhecê-lo e me condenar por antecedência. Podia ter dito, como disse ao telefone: "É engano. Só pode ser um imenso mal-entendido. Nós não nos conhecemos". E seria a mais pura verdade. Mas eu já não tinha condições de dizer nada além da história que havia repetido às paredes até a exaustão, para que compreendessem que eu estava louco, que voltara louco da prisão e que era inofensivo, até poder enfim não dizer mais nada, que era a situação na qual me encontrava fazia mais de um ano quando o telefone tocou e quando, semanas depois, hoje, faz o quê? uma hora?, duas?, ele bateu à minha porta, e retomei, como uma máquina desgovernada, naturalmente, a história que tinha contado durante anos às paredes, bem alto para a vizinha do outro lado da rua também poder ouvir, no caso de ter sido ela quem me houvesse denunciado, a história que já não contava fazia mais de um ano, mais de um ano em silêncio. Voltei a contar para o visitante estrangeiro às minhas costas a história que repeti durante anos às paredes. Afinal tinha a oportunidade de contar para alguém além das paredes e da vizinha, e testar a verossimilhança da história com alguém de carne e osso, descaradamente presente, descaradamente físico e presente, um intruso assumido em pessoa, tão perto quanto a vizinha e tão concreto quanto as paredes, mas, ao contrário delas, descaradamente assumido em sua presença, ao meu lado, podendo retrucar e me contradizer. As paredes, ao contrário, são dissimuladas. É notável o fingimento das paredes. Não dizem nada e de repente já é tarde. A vida passou e você perdeu a sua juventude. Contei ao estrangeiro minha história sem pé nem cabeça. Disse-lhe que tinha sido ator antes de ser refugiado e que havia interpretado os clássicos do repertório mundial. Antes de vir para cá como refugiado, encarnei todos os grandes personagens da história universal do teatro, antes de acabar neste apartamento que me foi designado ao chegar a este país. O que eu não disse foi que este acabou sendo o meu maior papel, que repeti durante anos, desde que voltei da prisão, contando essa história sem pé nem cabeça para as paredes e para a vizinha que me havia denunciado, até convencê-las, para evitar que me denunciassem de novo, e agora também para ele, que apareceu sem avisar embora tivesse ligado antes e mandado semanas antes uma carta que ficou sem resposta, o que justificava a sua presença descaradamente assumida, ao contrário das paredes e da vizinha, reputadamente dissimuladas. O que eu não lhe disse foi que nunca poderia ter imaginado que esse papel que concebi e ensaiei durante anos para as paredes e para a vizinha acabasse repetido a um único espectador, ele, um estrangeiro, que esperei durante anos, como quem espera a aparição de um fantasma, e que me apareceu justamente hoje, quando eu já não o esperava.

2. Eu não conhecia ninguém quando cheguei a este país, não via ninguém, a não ser a vizinha, a mulher na janela do prédio em frente, do outro lado da rua *(ele espia entre as cortinas e as fecha para não correr o risco de ser observado)*. Ela também me espiava, estava sempre na janela. E, por um momento, cheguei a cogitar que pudesse estar interessada. Quero dizer, em mim, pessoalmente, fisicamente. Cheguei a pensar que seu interesse fosse benigno. E por pouco não atravessei a rua para bater à sua porta e lhe falar de amor à primeira vista e quem sabe lhe propor um jantar ou até mais. Ingenuidade. Só pode ter sido ela. Avisou a polícia, porque estava desconfiada. Desconfiada uma ova; estava certa! Naturalmente. Deve ter dito que tinha certeza. Meu comportamento era suspeito, me disseram na polícia. Suspeito para quem? Sus-

peito porque não sou daqui, tenho hábitos exóticos, como comer e beber sozinho, e não conheço ninguém, ninguém vem me ver, não recebo visitas. Disseram-me na polícia que a minha solidão era suspeita, que eu guardava os hábitos de onde eu vinha, embora já não estivesse lá. E isso era mesmo mau, péssimo. Maus hábitos, eles me disseram, exóticos. De onde tiraram que onde nasci as pessoas comem e bebem sozinhas? A vizinha também almoçava e jantava sozinha. Eu sei, porque a observava. Quero dizer, observo. E continua sozinha. Mas ela é daqui, autóctone, é outra cultura. Os sozinhos daqui não são suspeitos. São considerados desta cultura, quero dizer, são considerados daqui, a outra cultura sou eu, claro. Não foi fácil chegar aqui, não. Foram meses, anos de preparação, de onde eu venho não se sai impunemente. Resolvi que na minha história, que passei a contar depois de voltar da prisão, bem alto para que também a vizinha do outro lado da rua pudesse ouvir apesar da algazarra da rua entre nós e me esquecer, eu era ator. Sim, por que não? Ator. Na minha história, fui uma promessa de ator na juventude, antes de vir para cá e virar ator de verdade. Sim, porque a verdade é que só aqui me tornei ator no papel de refugiado. Só aqui fui entender realmente a urgência e a necessidade da representação. Imagine receber a ligação de um desconhecido, dizendo que veio do seu país, depois de todos estes anos, para lhe fazer uma visita. Que é que uma pessoa pode pensar? No meu caso, digamos. A última visita que recebi foi da polícia. Vieram me levar, porque uma bomba tinha explodido num canto qualquer e receberam um telefonema anônimo me denunciando. Quero dizer, anônimo em termos. Quem mais além da vizinha poderia me denunciar se eu não conhecia ninguém além dela, ainda que fosse só de vista, do outro lado da rua? E se não recebia ninguém? Quem mais ia ligar para a polícia para dizer que sabia quem tinha posto uma bomba sabe-se lá onde, a julgar pelos meus hábitos solitários e exóticos? *(ele espia com a cabeça metida entre as cortinas, como se espiasse por uma fresta da janela, e as fecha de novo)* Cinco mortos e vinte e cinco feridos. É. Estão pensando o quê? Não, ninguém assumiu o atentado. Nenhuma organização terrorista. Mais uma razão para a vizinha não ter dúvida e tomar a iniciativa de ligar para a polícia. Queria ajudar. Nutria suspeitas sobre a autoria do crime. Quer dizer, tinha certeza. Disse que me viu fabricando coisas, saindo de casa com um pacote no dia da explosão. O exótico do outro lado da rua, que almoçava e jantava sozinho, todos os dias e todas as noites, fazia anos, desde que chegou aqui, vindo sabe-se lá de onde, do inferno, fugindo sabe-se lá do quê, e ela a observá-lo todos os dias, porque tampouco tinha o que fazer. Um estrangeiro. Por causa dela, fiquei anos preso, até ser esquecido, até outra denúncia anônima, sobre outro atentado qualquer, contradizer a denúncia da vizinha. Quero dizer, até o acusado de outro atentado, preso graças a outra denúncia, assumir por meio da confissão, além do novo atentado, também aquele pelo qual eu cumpria pena. O fato é que, até alguém assumir a autoria da bomba que a vizinha me atribuíra, passei anos preso e perdi minha juventude. E quando voltei a este apartamento, já velho, achei por bem começar a conversar sozinho também, como um velho, além de comer sozinho, conversar sozinho com as janelas e as cortinas bem abertas, falando bem alto, para ela poder ouvir apesar da algazarra lá fora, para que achasse que havia alguém aqui comigo, alguém com quem eu almoçava e jantava, e eu dizia bem alto para ela poder ouvir, ela, a vizinha do outro lado da rua e não a pessoa que hipoteticamente estaria comigo mas não estava, porque não recebo ninguém desde que vim parar neste país e neste apartamento, então eu dizia: "Está bom? Que delícia, não é? E que delícia de vida eu aqui com você, em paz, neste país excelente e acolhedor! Gostou? É uma receita secreta de família, guardei do tempo em que ainda vivíamos em nosso país exótico e em guerra", porque se a vizinha era como os outros, devia ser uma pessoa convencional, observadora dos costumes e das tradições *(ele observa entre as cortinas e as fecha)*, uma receita secreta de família só podia lhe causar a melhor impressão, que era do que eu mais precisava àquela altura, a boa impressão da vizinha. E assim foi, até que conversar aos berros com a minha companhia hipotética e inexistente durante o almoço e o jantar começou a me dar nos nervos. Às vezes, até parecia que eu estava falando com ela, e de fato estava, com a vizinha do outro lado da rua, até parecia que estava conversando com a vizinha que me havia denunciado, ela ou as paredes, e que me fodeu a vida, perguntando para ela se a vida a dois não era mesmo maravilhosa. E então continuei falando, mas agora para as paredes, quero dizer, mais diretamente para as paredes. Fechei as cortinas e continuei falando bem alto, para que a vizinha pudesse continuar ouvindo apesar da algazarra lá fora e das cortinas fechadas, mas agora contando com uma nova tática, contando uma história louca, e cada vez mais louca, sem pé nem cabeça, sobre quando fui ator no país de onde fugi. O melhor era que já não precisava atentar para as contradições e para as inverossimilhanças, se estava louco. Bastava que ela achasse que eu tinha perdido a cabeça na prisão onde a denúncia dela me confinara. E aos poucos tomei gosto por aquilo e passei a me esmerar e a contar uma loucura cada vez mais louca. Não é fácil. Não foi fácil chegar até aqui. A pessoa tem que começar convencendo de que não é monstro, assassino, matador profissional, terrorista, estuprador, ladrão, falsificador, pedófilo, batedor de carteira, sequestrador, estelionatário, e tudo isso sem nenhum documento, sem nenhuma prova em contrário, imagine só, sim, como é que se faz? Como é que se vai provar sem provas em contrário? Porque a pessoa chega aqui sem nenhum documento, mas com o ônus da prova. E como é que prova que não é de fato monstro, assassino, matador profissional, terrorista, estuprador, ladrão, falsificador, pedófilo, batedor de carteira? Podia muito bem ser tudo isso, não podia? Você aí mesmo, é, você, vai dizer que não podia? Tudo isso já lhe passou pela cabeça, ou não?, não passou?, nunca?, mesmo?, pode até dizer que não, mas já pensando na hipótese do sim, pedófilo, falsificador, estuprador, terrorista. Não? Para acusar alguém do que você diz que desconhece, é preciso conhecer de alguma forma, nem que seja pela imaginação, tem que ter pensado alguma vez naquilo, e imaginado aquilo alguma vez, vai dizer que não? Não há detector de mentiras, nem mesmo detector de mentiras fabricado na China, que não pegue uma hesitação ou outra, uma contradição aqui, outra ali, olhe só!, um brilho no olho, uma lágrima, um pigarro, não há como escapar quando se está tentando fazer sentido. Essa é a vantagem de já não precisar fazer sentido nenhum, não atentar para as contradições. Por isso, achei que ser ator ainda era a melhor saída, quando cheguei a este país, e ator louco melhor ainda, depois da prisão, porque tudo o que eu dissesse, e quanto maior o disparate, só podia contribuir para a expressão da loucura mais autêntica.

3. Contei-lhe sobre Macbeth e sobre Fausto, aos berros, para vencer a algazarra da rua entre nós. E mais: passei a interpretá-los. Para encarnar um personagem, antes é preciso projetar a voz, imaginá-lo em vida, o que daria à vizinha 50% de chances de se tornar uma exímia atriz, já que me imaginou aqui, vivo neste apartamento, quando tudo levava a crer que eu estivesse morto, porque não recebia nenhuma visita nem falava com ninguém antes de ser preso. Sim, uma exímia atriz a imitar meus hábitos exóticos, já que também comia e dormia sozinha, se não fosse também dissimulada, porque o pior ator é aquele que, por não receber aplausos, acaba agarrado ao ressentimento. Não é o meu caso. Nunca procurei aplausos. Quando voltei da prisão, passei a atuar para a vizinha abertamente, aos berros, para enriquecer sua fantasia. Contei-lhe bem alto sobre o meu Macbeth e sobre o meu Fausto. E, para que parecesse ainda mais desvairado, recorri a interpretações muito pessoais dos clássicos. Não exatamente pessoais: idiossincráticas. Interpretações

idiossincráticas dos clássicos para sobreviver. Nada que ela pudesse reconhecer e associar com o que quer que fosse, nada de que tivesse ouvido falar e que lhe desse motivo e ensejo para fazer uma nova denúncia, baseada em associações e ilações escalafobéticas. A vizinha não sofria de amor, mas de conclusões à primeira vista. Apelei para as minhas próprias interpretações antes que ela tivesse tempo de fazer das suas. O meu Macbeth, por exemplo, não tinha mulher. A voz da mulher falava em sua própria cabeça. Sim, talvez, um Macbeth transgênero. Por que não? Sua parte mulher. No país de onde eu venho, nada disso existia, pelo menos até eu sair de lá. Pensei em alegar que fui obrigado a deixar o país onde nasci por causa do meu Macbeth transgênero. No meu Macbeth transgênero, Lady Macbeth só existe na cabeça do protagonista. A vizinha me observava a me digladiar comigo mesmo, com as mãos na cabeça ou estrangulando o meu pescoço, socando a minha própria cabeça e dizendo: "Sejas acolhedor nos teus olhos, nas tuas mãos, na tua língua: sejas como a flor inocente a encobrir a serpente". E eu mesmo respondia: "Ai! Monstra, bruxa dos demônios! Ressentida! Autóctone!", como se falasse à minha mulher, quero dizer Lady Macbeth, mas era a vizinha que eu praguejava na minha interpretação idiossincrática do clássico, pelo mal que ela me havia causado. Eu gritava: "Vejas o sangue que escorre em minhas mãos inocentes, por tua culpa, alma viperina! Pervertida! Voyeuse!", como se gritasse com a minha mulher, mesmo se obviamente estivesse falando com a vizinha do outro lado da rua, sobre a merda que ela fez. Sim, isso mesmo:

"Voyeuse!". Quem mais? É claro que só podia ser ela. Ou, no meu Fausto, quando pedia a Mefistófeles a juventude de volta, era sempre à vizinha do outro lado da rua que eu me dirigia, bem alto, para que pudesse ouvir e entender o que eu estava dizendo, apesar de toda a algazarra do lado de fora. E improvisava o texto conforme a reação dela. Quero dizer, conforme a reação dela na minha imaginação, porque a autenticidade da minha interpretação pessoal dos clássicos dependia, como a de todo grande ator clássico, da chamada quarta parede à qual eu falava, interposta entre mim e a vizinha, e que não me permitia vê-la propriamente, apenas imaginá-la. Eu reencenava os clássicos que supostamente teria interpretado antes de vir para cá, sozinho, admitindo-se que a minha história absurda também fosse verdadeira e eu tivesse realmente sido uma promessa de ator no país de onde venho, antes de sair de lá, fugindo sabe-se lá de que horror, por causa do meu Macbeth transgênero, por exemplo, e chegar aqui e enlouquecer na prisão, por culpa dela, da vizinha que me denunciou depois de me observar e de tirar suas conclusões sobre o meu comportamento exótico de refugiado, comendo e dormindo só, aliás como ela, e deduziu que só eu podia ter posto aquela bomba debaixo de um banco de mármore num domingo repleto de turistas ou em outro canto qualquer. "Devolve-me a vida que me tiraste!", eu gritava a Mefistófeles, para ela ouvir do outro lado da rua, a despeito da algazarra. "Mostra a tua cara, Satanás!". Aquilo me encantava, cada vez que repetia aquela frase mágica e desopilante.

Mas, de todos os personagens que encarnei para a vizinha, foi Orestes que me consagrou. Quero dizer, com Orestes cheguei ao apogeu da minha arte. Falo por mim, é claro, já que nunca procurei aplausos e não tenho outra medida além da minha própria. Perguntar a opinião da vizinha seria derrubar a quarta-parede e pôr toda a minha estratégia a perder. Orestes em uma versão particular, que eu mesmo inventei depois de voltar da prisão, sem que tivesse planejado nada, naturalmente, nem esperado nada. Quero dizer, em relação à consagração e ao reconhecimento. Fiz porque tinha de fazer, como os grandes artistas condenados às suas obras vitais. De repente, comecei a contar à vizinha, aos brados, para que me ouvisse bem do outro lado da rua. De repente, quando eu menos esperava, sem planejar, comecei a dizer que o país inteiro onde nasci quis me ver na pele de Orestes, assim como ela quis me ver na de terrorista. Filas imensas para assistir à minha performance, eu dizia bem alto, seguindo com a minha história, para a vizinha me ouvir e me esquecer. Orestes e sua loucura. Dei a Orestes e à sua loucura um tratamento original. Reinventei o personagem à minha maneira. A minha originalidade foi fazer de Pílades e Orestes amantes desde a adolescência. O amor obsessivo que Pílades nutre por Orestes não lhe permite dividi-lo com a obsessão que Orestes nutre pela mãe, Clitemnestra. E não é outra a razão que leva Pílades a encorajar o amante a matá-la. Eu sei. Na história original, é a irmã de Orestes, Electra, quem o incita ao crime, para se vingar da morte do pai. Mas na minha versão, é Pílades, o namoradinho. E depois, quando a loucura das Fúrias se abate sobre Orestes com suas chibatadas, é Pílades quem o acompanha até a Táurida, com beijinhos, para curá-lo da culpa. A cada ataque de fúria de Orestes, Pílades o acalma com beijinhos. Todo mundo conhece a história de Clitemnestra, que matou Agamêmnon, pai de Orestes e de Electra, para se vingar da morte da filha, Ifigênia. Mas, na minha versão, na versão que eu contei à vizinha do outro lado da rua, aos berros, Orestes não mata a mãe para vingar o pai, não! Mata a mãe para aplacar o ciúme do namoradinho, para satisfazer o namoradinho que não pode dividi-lo com mais ninguém. Depois de um Macbeth transgênero, um Orestes gay. Por que não? Nada disso está dito no original, é claro, mas é o substrato da peça, basta um pouco de inteligência e sensibilidade para perceber. Ou de suspeita. É o que está por trás da construção do personagem, a história que só eu precisava saber, é claro. Era no que eu pensava quando dizia as falas de Orestes, as falas que eu mesmo inventei, e foi o que bastou para a minha consagração, eu gritava para a vizinha entender e acreditar que eu tivesse perdido a cabeça. Porque nada podia ser mais incompatível com a imagem que ela fazia do lugar de onde eu venho e do terrorista que eu sou do que um Macbeth transgênero e um Orestes gay. Antes de vir para cá, fui a promessa de um ator consagrado, eu gritava para ela ouvir. Não, é claro que não tenho provas. Foi o que eu respondi quando me perguntaram ao chegar a este país. Que provas? É tudo tão impalpável, como é que vocês querem que eu prove o meu talento? Ou que não sou pedófilo nem terrorista? Orestes mata a mãe por causa do namoradinho e ninguém diz nada, mas percebe, claro, basta pensar um pouco, suspeitar um pouco, como a vizinha. Orestes era burro? Provável. Mas como provar? A mesma coisa com o talento, com Jesus, com o terrorismo ou com a pedofilia. Ou vocês acreditam ou não acreditam, eu disse ao chegar. E o mais incrível é que acreditaram. Eu os convenci, eu berrava para a vizinha ouvir do outro lado da rua. Sim, eu os convenci! Como Jesus morto a São Tomé, que só acreditava vendo. E tocando! Algum ator de talento atrás de uma pedra. O talento é impalpável. E foi a minha sorte. Eu os convenci de que tinha sido a promessa de um ator consagrado, porque o talento é impalpável. E eles me deixaram entrar, porque ninguém tem fé impunemente. Foi o que eu disse aos gritos, depois de anos de prisão e de voltar a este apartamento, para a vizinha ouvir e acreditar e me esquecer. É claro que não diria nada disso que agora estou pensando, depois de passar anos repetindo a mesma história aos gritos. Sim, porque este é o meu pensamento. Eu não diria nada disso nem às paredes, muito menos ao estrangeiro que apareceu da noite para o dia e acaba de sair daqui. Encenei a tragédia de Orestes à minha maneira para as paredes. Para as paredes e para a vizinha. E durante anos repeti o mesmo texto, aqui, o meu texto, no qual me chamo Orestes e matei minha mãe, Clitemnestra, a pedido do meu namoradinho, Pílades, até convencer as paredes e a vizinha de que perdi a razão, de que acredito que vim para cá, fugido das Fúrias, porque matei minha mãe a pedido do meu namoradinho. Durante anos, repeti diariamente o meu texto, o texto da minha versão de Orestes, e a vizinha e as paredes foram o meu único público. Antes, conversei com uma companhia imaginária, sentada à mesa do almoço e do jantar, como se contasse a minha história, até fazer a vizinha e as paredes acreditarem na minha loucura. E até me cansar e entender que já não precisava repetir, e então me calar. Até você aparecer à minha porta para contradizer a minha versão da tragédia com a sua presença física incontestável e criar novos motivos de suspeita para a vizinha e para eu voltar a falar, eu podia ter dito ao estrangeiro, podia ter jogado na cara dele antes que saísse daqui, mas não sou louco. Você faz ideia do que eu passei para chegar até aqui? E da dificuldade de convencê-los a me deixar entrar? Sim, sem nada, sem nenhuma prova. Sem documentos, sem passado, fugindo do horror como todos os outros, inclusive os que foram mandados de volta, por representar uma ameaça potencial, porque não se fizeram convencer, porque não tinham o meu talento nem o de Jesus morto ou de quem falava por ele escondido atrás da pedra? Sim, porque em geral os crentes só acreditam vendo. Você não faz ideia, não é? Você podia dizer que também conhece o horror, que veio de lá, não foi? Mas o horror só existe para quem tem consciência dele e para isso é preciso algum termo de comparação. Você não tem do que reclamar. Nasceu e cresceu no horror. Não conheceu a paz, não tem por que buscá-la. Você acha a minha lógica pusilânime? Toda lógica é pusilânime. No fundo, só existem paradoxos. As coisas não batem umas com as outras, andam em linhas paralelas. São incompatíveis e simultâneas. Nada se explica. É o que estou tentando fazer você entender, eu podia ter dito ao estrangeiro que acabou de sair daqui. A minha história e a sua, incompatíveis e simultâneas, nada a ver. Não sei quem você é. Bateu na casa errada. Não matei minha mãe por causa de um namoradinho, não vim para cá por causa do meu talento, não sou ator, eu podia ter dito ao estrangeiro, mas não disse, porque não sou louco.

4. É claro que, para dar mais verossimilhança à minha loucura, tive de interpretar também textos do inferno onde nasci e não apenas os clássicos que a vizinha pudesse reconhecer e que as minhas interpretações pudessem conspurcar. Também era preciso interpretar textos que contradissessem o senso comum sobre o lugar de onde eu vinha. Por exemplo: que no inferno o que se diz não se escreve. Que não temos escrita, que nossa cultura é oral e por aí vai. A despeito da algazarra entre nós, declamei para a vizinha textos que ela não podia reconhecer e que lhe dessem ainda mais garantia da minha loucura, mas foi a loucura de Orestes que me inspirou e me garantiu o meu maior papel. Aqui eles dizem: Esta é a nossa casa, esta é a nossa língua. Se quiser ficar, terá de respeitar as regras da casa. Se quiser ficar, terá de falar a nossa língua, quero dizer, a língua deles, falada como eles falam. A vizinha e as paredes não estão aqui a passeio. Com elas me comporto como um hóspede intimidado dentro da minha própria casa. Com elas falo a língua que querem ouvir. Se não quero voltar a ser preso, sob suspeita de ter cometido novos atentados, só me resta encarnar o louco. O que é que você queria?, eu podia ter perguntado ao estrangeiro antes que ele saísse daqui. Queria que me comportasse como no país de onde eu venho? Que falas-

se a minha língua? Quero dizer, a nossa língua? A língua da minha juventude? Se veio me visitar depois de todos estes anos, quando eu já não o esperava, é porque devia querer que eu falasse com ele na língua dele, a língua que eu falava antes de vir para cá. Eu podia ter falado na língua dele, como se não percebesse a armadilha. Ele veio me tentar, como Mefistófeles prometendo a juventude a Fausto, veio me tentar a falar de novo a minha língua, como antes, a língua da minha juventude, como se as paredes não tivessem ouvidos e não houvesse vizinha nenhuma do outro lado da rua. É isso? Acha que sou bobo? Queria me pegar em flagrante. Queria me levar embora daqui. Queria me mandar de volta. Veio me lembrar do que tento esquecer interpretando o meu maior papel. Quer que eu confesse que não estou louco? Quer que interrompa esta farsa?, eu podia ter perguntado ao estrangeiro, na língua dele, a língua do inferno, mas para isso teria que estar realmente fora de mim.

Eu podia ter lhe dito: Você acha que foi fácil chegar aqui? Não sabe o que eu passei. Não faz a menor ideia do que eu passei. Eu tinha todas as razões do mundo para desconfiar dele. Não ia abrir a boca para falar a língua dele, a língua da minha juventude, do país de onde eu venho e ele também, para me obrigar a dizer o que só pode me comprometer. Que aparição foi essa, quando eu menos esperava? Afinal, como foi que ele chegou aqui? E o que me garante que não fez um acordo? Para me denunciar, é claro, que mais poderia ser? Para me entregar. Um acordo de troca, para poder tomar o meu lugar, neste apartamento de refugiado, comportando-se como um hóspede constrangido, falando a língua que as paredes querem ouvir. No meu lugar. O que me garante que não veio tomar o meu lugar?, eu podia ter perguntado ao estrangeiro, se fosse maluco ou burro como Orestes. Acha que sou burro? Quantos anos você me dá? Faça as contas. Deve ter uma ideia aproximada, já que diz que é meu filho. Agora, pense bem e faça as contas. Se eu já estava em fuga vinte anos antes de você nascer, se já estava fugindo antes mesmo de conseguir escapar do lugar onde você nasceu, onde eu também nasci e onde já me sentia um hóspede intimidado muito antes de você nascer, como é que posso ser seu pai?, eu podia ter perguntado ao estrangeiro para me salvar. Pense bem, não conheço outra coisa, passei a vida em fuga. Agora faça as contas e me diga se não tenho motivos de sobra para desconfiar. Quem me garante que não foi a vizinha que o enviou? *(ele entreabre a cortina e enfia a cabeça entre as cortinas, como se olhasse pela janela para o outro lado da rua)* Um filho era o que me faltava. Não nos conhecemos! E agora vem dizer que fugi dele, que o abandonei? Não sabe contar? O argumento dele não se sustentava. O que é que podia querer além do meu lugar, se já não tenho nada, se vim para cá sem nada, sem nenhuma prova do que fui, sem documentos de identidade, usando apenas o meu talento. Eles me aceitaram em período de experiência, como se diz. Até estarem certos de que eu agia como refugiado. E que era um bom ator. Em período de experiência ninguém pode errar. Há gente espiando do outro lado da rua e paredes esperando você dar um passo em falso, esperando que você não se comporte como refugiado, como quem você disse que era para poder entrar. Só o passo em falso de algum outro refugiado é capaz de tirar a atenção de cima de você. E foi o que aconteceu comigo, preso pelo passo em falso que não dei, salvo pelo passo em falso de alguém que não conheço, mas que revelou o erro e a injustiça que me havia encerrado naquela prisão. O que é que eu posso pensar de você senão que veio para assumir o meu lugar? E o que é que posso esperar de você além de uma armadilha para que eu dê um passo em falso? Não vai me dizer que também é ator, que seguiu a profissão do pai, vai? Seria o cúmulo do mau gosto. Mas quem foi que disse que sou ator? E de onde tirou essa ideia maluca de que sou seu pai? Sou louco e esta é a minha loucura, o meu pensamento, mas já não abro a boca.

Podia ter lhe dito antes que ele saísse daqui que, enquanto eu estava na prisão, eles aprovaram leis para deportar todo refugiado que se envolvesse em algum tipo de crime. Tomaram medidas para transformar os indícios e as denúncias anônimas em provas. Podia ter perguntado: Você não está entendendo? É claro que não está entendendo. Não teria batido à minha porta, não teria telefonado e me enviado uma carta, dizendo que queria me ver, se entendesse. A menos que tenha vindo de propósito para me incriminar. A menos que tenha vindo me lembrar de algum crime. Não foi fácil chegar aqui. Não foi fácil entrar sem documentos nem provas de quem eu dizia que era, só com a minha palavra como garantia. Quer maior provação? E maior teste para um ator? Aposto que é nisso que está pensando o tempo todo. Veio me desmascarar. Foi enviado pela vizinha, pelas forças de ordem, para ver se estou mesmo maluco. Veio testar a minha loucura?, eu podia ter perguntado ao estrangeiro, se tivesse realmente perdido a cabeça.

5. Em vez disso, contei a mesma história que por tanto tempo havia contando às paredes e à vizinha e que já não contava fazia o quê?, um ano?, interpretei o papel para o qual tinha me preparado, o meu papel de refugiado louco, que ensaiei durante anos, sozinho, desde que voltei da prisão. Falei dos papéis que interpretei antes de vir para cá, no país onde nasci, sobre o meu Fausto e o meu Macbeth, em vez de contar sobre quem eu realmente era antes de vir para cá. Ele veio dizer que é meu filho. E eu respondi que era engano e o deixei falando sozinho. E se eu lhe contasse sobre todos os pais e todos os filhos que morreram nas minhas mãos, sob as minhas ordens? E se lhe contasse sobre todas as famílias que destruí? Será que continuaria insistindo nesse absurdo? E será que diria que nasceu logo depois de eu ir embora? Um mês depois de eu ter desaparecido, nas contas dele, um mês depois de eu começar a longa viagem que me trouxe até este país. Não sei como é que ele veio parar aqui, quantos meses levou, como é que me encontrou, pode ter sido enviado pelas autoridades locais para me testar e me desmascarar, para provar que não estou maluco, que estou mentindo. E se for assim, mesmo tendo vindo do mesmo lugar de onde eu vim, não deve fazer a menor ideia do que significa chegar até aqui sem um salvo-conduto, sem

documento nem prova, contando apenas com o talento e a lábia, não pode imaginar o que passei para chegar aqui. Assim como não pode imaginar quem fui antes de vir para cá. Antes de eu desaparecer, mais gente desapareceu nas minhas mãos do que ele pode contar nas dele. O que é que estou dizendo? Muito mais! Dezenas, centenas, talvez milhares, centenas de milhares de pessoas, que sei eu? Não contei. Tanta gente a ponto de eu não poder mais ficar lá, no país de onde eu venho, porque era um arquivo vivo das atrocidades que o regime escondia e maquiava, e eu a serviço deles, o executor e o testemunho ambulante dos crimes hediondos que eles estavam decididos a apagar, antes de retomar as rédeas do país. Quando desapareci, eu era o rastro que todo mundo procurava, a prova viva dos horrores dos quais os refugiados fugiam, preferindo arriscar a vida na fuga a viver sob a ameaça invisível da minha sombra. Gente entre a qual me imiscuí para fugir de quem antes me dava ordens. Gente que fugia de mim e que me ajudou a atravessar o deserto, ingenuamente, inconscientemente, sem saber quem eu era, que me deu de comer sem saber que alimentava o algoz responsável pela morte de seus pais, irmãos, primos, tios e maridos, que me deu trabalho, gente que me ajudou a subir no barco que me trouxe até aqui ou quase, se não tivesse naufragado no meio do mar. Gente que não fazia ideia de quem eu era: a mão que os matava na sombra, a mando do regime. Gente que me contou sua vida, como aquele companheiro de travessia, que deixava para trás mulher e filho, quero dizer, a mulher grávida de oito meses e o filho por nascer, porque não tinha a menor chance de chegar aqui com eles, mas voltaria para buscá-los em melhores condições. Esse homem, que encontrei antes de embarcar e que me ajudou a embarcar, mais que isso, que me indicou o barco no qual ele também pretendia embarcar, esse homem disse ao dono do barco que éramos irmãos, para que eu pudesse embarcar com ele, e pagou pelo meu lugar no barco, por solidariedade, para me ajudar, porque tinha simpatizado comigo, esse homem, meu companheiro de travessia, me contou a sua história como a um irmão. Não teve tempo de perguntar a minha, por sorte, não precisei mentir. Não desconfiou de quem eu era. Ele era engenheiro elétrico. Na juventude quis ser ator. Tinha encenado Macbeth e Fausto na faculdade onde conheceu a mulher. Era um homem bonito, mas me confessou que não tinha talento para a coisa. Ao contrário de mim, ele era um mau ator. Planejei durante anos a minha fuga, sabendo que um dia cairia em desgraça, porque tinha visto o que ninguém via, estava envolvido até o pescoço no que ninguém podia ver. Meu talento era a morte. E, como os que passavam pelas minhas mãos não sobreviviam, pelo menos eu não corria risco de vir a ser reconhecido por eles ao longo da viagem de fuga, no dia em que minha sorte mudasse. Minha sorte mudou no dia em que contaram as vítimas e começaram a temer que, com uma inversão no equilíbrio de forças, eu viesse a dar com a língua nos dentes para salvar a pele. Imagine se fosse capturado pelo inimigo! Nenhuma vantagem dura a vida inteira. Nenhum privilégio. Eu era o arquivo vivo das atrocidades. Fugi antes que o regime desaparecesse comigo, pressentindo uma mudança de ventos. Juntei-me às massas de refugiados tentando escapar à força dos meus golpes, refugiados dos meus crimes, gente cujos pais, irmãos, primos, tios e maridos caíram sob a força dos meus golpes. Eles me ajudaram sem hesitar, assim como sem hesitar eu havia matado seus pais, primos e irmãos. Eles me ajudaram sem imaginar quem eu era, que eu era a razão do seu desespero e da sua miséria, sem desconfiar de nada, graças ao meu talento. Eu devia ter sido ator desde o começo. Tudo graças ao que resta da solidariedade humana, como a vizinha a denunciar os atos de um suspeito, estrangeiro exótico, do outro lado da rua, a denunciá-lo para salvar a pátria de mais um atentado. Passei por campos de refugiados. Não foram dois ou três, foram vários, antes de chegar aqui. Ali eu ainda não dizia que era ator, embora não me faltasse talento, veja bem, eu podia ter dito ao estrangeiro que veio hoje, se tivesse realmente perdido a cabeça. Ali, eu ainda não tinha encontrado o meu companheiro de travessia. Nos campos de refugiados, me comportei como um deles, sem deixá-los imaginar que, meses antes, seus pais, irmãos, primos, tios e maridos tinham expirado nas minhas mãos. Não temia que me reconhecessem, porque sou precavido e, ao contrário da vizinha, não deixei para trás nenhum sobrevivente para contar história nenhuma. Só um ingênuo para acreditar que o carrasco está imune à desgraça. Fiz o serviço sujo enquanto foi possível e fugi antes que pudessem me eliminar numa segunda fase. Matei gente demais, sei coisa demais. Nunca teriam me deixado entrar aqui, nunca teriam me recebido como refugiado se soubessem quem sou e o que fiz. Na hora teria sido mandado para alguma corte internacional. Sou o contrário do refugiado. Comi nos campos de refugiados a comida dos pais, filhos, mulheres e irmãos dos homens que caíram sob a força dos meus golpes, depois de lhes arrancar tudo o que era necessário para que entregassem seus companheiros, dezenas de milhares de companheiros, depois de reduzi-los a carcaças esvaziadas de palavra, de sentido e de utilidade. Com seus pais, irmãos, tios e primos, eu conversava nos campos de refugiados como se fôssemos amigos, irmãos. Trocávamos ideias e já ali eu encarnava um personagem e lhes dizia o que desejavam ouvir, a minha história refletia a deles e lhes dava sentido e utilidade. Agora eu os animava, levantava os ânimos quando pareciam esmorecer. E assim eles me ouviam sem sequer imaginar que tinha sido eu, sim, eu, o agente da sua destruição, da sua perda e do seu luto. Eu os convencia da minha solidariedade como agora convenço a vizinha da minha loucura. E creio que foi assim também que convenci o meu companheiro de travessia a me levar com ele no mesmo barco, a pagar o meu passe, a dizer ao dono do barco que estávamos juntos, éramos irmãos, e que viajávamos juntos desde o início. Não foi preciso convencê-lo a me contar nada. Desde que me viu, começou a contar sua vida. Não teve tempo de ouvir a minha, o que me exime da mentira. Ele trabalhava no aeroporto, na manutenção de aviões, antes da guerra. Tinha sido ator na universidade. Tinha interpretado Macbeth, Fausto e Orestes no teatro universitário antes de conhecer a mulher e se casar. Tinha deixado a mulher grávida para trás, porque temia que ela não sobrevivesse à travessia.

Disse que na velhice você só conta com os filhos e mais ninguém, mas que não era por isso que ele queria aquele filho pelo qual esperou tanto tempo, era uma gravidez difícil, que exigia repouso e cuidados. Ele queria muito aquele filho, ele me disse quando subíamos no barco, porque um filho é a sua memória no mundo, ele me disse e eu podia ter repetido hoje ao estrangeiro, se tivesse realmente perdido a cabeça. Meu companheiro de viagem pagou para eu poder embarcar, porque tinham me roubado num acampamento no deserto. Me emprestou o dinheiro que faltava não só para me deixarem subir naquele barco, mas para viajar no convés amontoado de gente, ao lado dele, espremido entre dezenas de refugiados, ao contrário dos que se esmagavam lá embaixo, no porão, na ponta dos pés para poder respirar. Graças ao meu companheiro de travessia, não acabei esmagado no porão quando naufragamos no meio do mar. Porque o dinheiro que me restava não teria dado para mais que aquilo. Ele me disse que um dia, com sorte, eu teria a chance de lhe retribuir a ajuda e que brindaríamos à nossa liberdade, eu podia ter contado hoje ao estrangeiro, se estivesse mesmo maluco. Meu companheiro de travessia pagou para que eu viajasse com ele no convés, com uma parte do dinheiro que ele e a mulher tinham guardado durante anos, primeiro para o filho e, depois, para uma eventualidade como aquela. Ele me contou como tinha amado na juventude o teatro universitário, onde ele e a mulher se conheceram, embora não tivesse talento para a coisa. Ela se apaixonou por ele depois de vê-lo interpretar os clássicos, Macbeth, Fausto e Orestes, sempre com um viés original, que traía completamente o personagem sem que ele precisasse mudar uma vírgula do texto, porque era um péssimo ator, ele dizia rindo. O meu companheiro de travessia me disse que tinha conquistado a mulher com sua interpretação idiossincrática dos personagens clássicos. Ela havia se apaixonado pela originalidade da sua interpretação idiossincrática e isso sem que ele precisasse mudar uma única vírgula do texto para acabar com aqueles heróis, para arrastá-los na lama da sua canastrice. Só muito depois, na prisão, antes de voltar a este apartamento, foi que li os textos dos quais ele tinha me falado no barco. Nunca fui de leituras, muito menos de teatro. É coisa de homens delicados. Ele tinha resumido a história dessas peças enquanto seguíamos para o alto-mar, comprimidos uns contra os outros, entre homens, mulheres e crianças que tentavam escapar ao que não planejaram, e depois, na prisão, lendo essas peças, imaginei sua interpretação idiossincrática para cada um desses papéis, a interpretação pela qual a mulher havia se apaixonado. Ele deixou o teatro universitário para se casar. Precisava sustentar a casa. Evitaram os filhos nos primeiros anos porque não tinham dinheiro. Esperavam o momento certo, quando teriam melhores condições para criá-los, mas aí estourou a guerra e ela engravidou quando menos esperavam. Foi quando começaram a planejar a fuga daquele estado de coisas que eles não tinham planejado e a travessia que ele terminou fazendo sem a mulher e sem o filho que estava para nascer, ao meu lado, sem saber que viajava ao lado de um monstro. Se não fosse por ele, eu nunca teria conseguido entrar naquele barco e provavelmente não estaria aqui agora. Foi o naufrágio que me permitiu chegar aqui. O naufrágio que o interrompeu no meio da sua história, quando me contava sobre sua interpretação idiossincrática dos clássicos. Mesmo esmagados entre outros homens, mulheres e crianças, ele continuava a me contar a história do teatro universitário, onde conhecera a mulher, como se contar o mantivesse vivo e a ela na sua lembrança. Contava, embora sua história não tivesse o menor interesse nem fizesse o menor sentido ali, entre homens comprimidos uns contra os outros, durante a travessia, muito menos para mim, que só pensava em escapar ao inferno cujo fogo eu mesmo ajudara a atear e que o ouvia por obrigação, para retribuir sua ajuda. Conhece a história do sapo e do escorpião?, eu podia ter perguntado há pouco ao estrangeiro, se estivesse realmente louco. Retrospectivamente, a coisa muda de figura. Não descarto a mão da sorte ou de Deus. Afinal, por que o infeliz continuava a contar aquela história para mim se não era para me salvar? Por que continuava a contá-la entre gente cagando e mijando uns sobre os outros se não era por mim e para que eu pudesse chegar aqui? A história do teatro universitário, que eu repeti às autoridades, quando me perguntaram de onde eu vinha e quem eu era. A história das minhas interpretações dos clássicos, que depois eu contei aos berros para que a vizinha do outro lado da rua me ouvisse e me esquecesse, para que entendesse que perdi a cabeça de vez na prisão. Ao chegar, contei o que ele me contou no barco. Repeti, para nunca mais esquecer, a história do teatro universitário, onde ele conheceu a mulher antes da guerra. E, com os anos, depois de voltar da prisão, fui acrescentando elementos que tornavam a história cada vez mais absurda, com o único objetivo de me salvar. Quando o barco emborcou, as pessoas gritando, os homens obrigados a pisar uns nos outros para manter a cabeça fora da água, caindo uns sobre os outros, pisando uns nos outros para se levantar, a sufocá-los para não morrer, quando as crianças começaram a chorar, antes de afundarem, as mães e os pais a se separar dos filhos, e quando um menino que viajava sozinho emergiu de dentro da água, dentre os corpos, e eu com ele, mas não o meu companheiro de travessia, sem o qual eu não teria podido estar ali, entre os mortos, nem ter chegado aqui, a este país e a este apartamento, foi ali que eu dei início à minha interpretação pessoal dos clássicos, mas ainda sem a desenvoltura da versão que apresentei em seguida à vizinha e hoje ao estrangeiro. Passei a interpretar Macbeth, Fausto e Orestes, sem nem mesmo saber quem eram Macbeth, Fausto e Orestes. Lembrava a minha consagração juvenil, interpretando Macbeth, Fausto e Orestes, no teatro universitário, ao mesmo tempo que me consagrava nessa interpretação pessoal de mim mesmo, que comecei a representar quando me perguntaram quem eu era e de onde eu vinha, quando me puxaram da água e dos corpos, junto com o menino que fazia a travessia sozinho, e depois, quando voltei para este apartamento, depois de anos preso por equívoco, graças à vizinha que tinha me denunciado ou graças às paredes, quando entendi que o melhor era convencê-las de que tinha perdido a cabeça, convencê-las a me esquecer, nessa hora também passei a representar para a vizinha do outro lado da rua o que antes tinha representado para mim mesmo ao chegar a este país, agora bem alto para que ela me ouvisse apesar da algazarra lá fora, e com acréscimos que faziam da história verossímil que eu interpretara ao chegar a este país a mais inverossímil, para que pensassem que eu tinha perdido a cabeça e me esquecessem. E foi quando ele telefonou, faz o quê?, duas semanas?, antes de bater à porta, hoje, quando eu já não o esperava, quando já estava certo de que tinha me esquecido. Veio procurar o pai. Devem ter lhe dito que o pai morava aqui, porque cheguei aqui com o nome do pai dele e porque a história que conto há anos corresponde à do pai dele, que se afogou na travessia. Veio procurar o pai que nunca viu, nasceu depois do naufrágio. A mãe deve ter achado que o marido estava morto ou que os abandonara, porque não recebeu mais notícias, porque ele nunca mais os procurou. Vai saber o que ela pensou, como criou esse menino, enquanto eu apodrecia na prisão por culpa da vizinha, lendo os clássicos. É natural que ele venha procurar o pai depois de adulto. Deve ter confirmado com a vizinha que o pai morava aqui, do outro lado da rua, porque durante anos contei a mesma história, a história do teatro universitário antes da guerra, a história do pai dele, à minha maneira idiossincrática, como se falasse sozinho, mas aos berros, para que ela ouvisse e me esquecesse. Veio conhecer o pai que o abandonou. Prefiro não imaginar os esforços que deve ter feito para chegar aqui. Deve estar exausto de procurar. Deve ter indagado quando chegou, fornecendo a ficha do pai, e de informação em informação terminou por me encontrar, porque embora o objetivo da minha interpretação fosse fazê-los me esquecer, correspondo exatamente à história do pai dele, que eu repito à minha maneira, como um louco, como se fosse o meu próprio passado. Eu não podia dizer simplesmente que não sou seu pai ou, pior, que tomei o lugar do seu pai. Não podia contar quem sou de verdade, todos os que torturei, todos os que sucumbiram aos meus golpes a serviço do regime do qual o pai dele fugia. No começo, ninguém nunca imagina que um regime pode cair. No começo, tomar o partido do terror é uma medida de segurança. É só quando você se vê envolvido até o pescoço com os desmandos que o que antes era segurança se converte em risco. A segurança começa a ceder e vai dando lugar primeiro à dúvida e, depois, ao pesadelo. Foi quando entendi que, antes de cair, o regime varreria os vestígios dos seus crimes e eu com eles. E desapareci antes que tivessem a boa ideia de desaparecer comigo, depois de entender que me convertera num rastro de sangue. E depois de todo esse esforço para chegar aqui, não podia simplesmente lhe dizer a verdade, a menos que estivesse realmente louco. Como eu lhe disse apenas uma parte da verdade (que não sou seu pai), deve ter me tomado de fato por louco. Eu não poderia ter obtido melhor resultado dessa representação toda. Disse que não sou seu pai e ele deve ter saído daqui achando que chegou demasiado tarde, que o pai perdeu a razão. Não foi fácil? Disse que interpretei tal e tal papel e ele não percebeu que continuo interpretando. Acreditou na loucura, como a vizinha. Agora, só espero que, como ela, também me esqueça. Acabou de sair daqui *(enfia a cabeça entre as cortinas fechadas, como se espiasse pela janela)*, se calhar ainda sou capaz de vê-lo na esquina, esperando o sinal abrir para atravessar a rua. Lá está ele, ao lado dos outros que também esperam para atravessar a rua. O sinal abriu para os pedestres. *(pausa)* Estranho. Só ele não sai do lugar. Ao contrário dos outros, que atravessam a rua, continua lá parado, olhando para a frente, para o outro lado da rua, sem se mexer, como se estivesse paralisado. Anda! O sinal vai fechar. Anda! Pronto! Fechou. Para os pedestres, claro. Agora está aberto para os carros e ele continua lá parado na beira da calçada. Tomara que não se atire entre os carros em movimento. Já pensou? Outras pessoas já se aglomeram de novo ao lado dele, esperando o sinal abrir para atravessar a rua. E agora... Agora, no meio das outras pessoas paradas e diante dos carros em movimento, ele levanta a cabeça e olha para trás e para o alto, para cá, para esta janela, e fica assim, imóvel, como se tivesse me visto. Lá está ele, pensando coisas inaudíveis no meio da algazarra do mundo.

6. *(Ouve-se a "algazarra do mundo" — um tumulto de vozes e lamentos depois de um bombardeio ou de um atentado; a agitação de refugiados resgatados no mar; notícias de televisão, etc., tudo misturado com o som ambiente de trânsito, de carros e pessoas nas ruas; o ator imita os gestos que descreve: levanta a cabeça e olha para trás e para o alto, como se tomasse o lugar do filho/estrangeiro)* Lá está ele, o homem que diz que não é meu pai, lá está ele, dissimulado em sua janela no alto do prédio. Todos os meses, poucos minutos depois de eu sair de lá, como se de re-

pente tivesse reconhecido o mundo ao redor, depois de acordar sem saber onde está, ele corre até a janela e deve pensar enquanto luta para abri-la: "Meu Deus! O que ele terá pensado de mim? Bastou ele entrar aqui para mais uma vez eu começar a contar essa história demente". Na sua história demente, ele jura que não é meu pai, embora eu seja a única pessoa que ele tem neste mundo. Todos os meses, quando venho visitá-lo, é como se me visse pela primeira vez. E, embora seja como se me esperasse há anos, como se eu não tivesse vindo no mês passado, trata-me como um indesejado, um hóspede intimidado em sua própria casa, um estrangeiro. Vivi nesse apartamento até os vinte anos. E, como se não me reconhecesse, ele diz que fugiu de seu país e que foi ator antes de vir para cá. Não deixa de ter um fundo de verdade. Meu pai quis ser ator quando estava na faculdade, antes de conhecer minha mãe. Ela gostava de dizer que ele tinha abandonado os grandes clássicos e o sonho de uma carreira profissional no palco por ela. Por amor. Abandonou o palco para tornar-se funcionário público, para trabalhar para o Estado, proteger a pátria das ameaças externas, ou assim ele dizia. Consagrou-se por uma série de medidas, prendendo e expulsando gente indesejada neste país. Gente que ele nunca viu. Lá está ele, na janela, olhando para mim, depois de dizer que não é meu pai e de fazer a sua cena mensal. Encena a mesma peça uma vez por mês, quando venho visitá-lo. Vive o grande papel de sua vida, o que não pôde viver ao sair da faculdade, porque tinha mulher e filho para criar e a pátria para defender. Vive o papel de um refugiado num país onde as paredes têm ouvidos e os vizinhos trabalham para a polícia, denunciando uns aos outros. Lá está ele, entre as cortinas, a me olhar da janela, como se a peça tivesse acabado e eu tivesse saído sem aplaudir. Acha que não o vejo. Não disse e não dirá, quando eu voltar dentro de um mês, que por minha causa abriu mão do que mais desejava na vida, tornar-se ator. E tornou-se funcionário público, funcionário exemplar, concebendo medidas para prender e expulsar os estrangeiros indesejados neste país. Desde que decidi tirá-lo do asilo, porque se tornara intratável, e trazê-lo de volta para o apartamento da minha infância e da minha juventude, interpreta um homem que ficou louco depois de ser preso graças à política de denúncias encorajada pelo Estado contra os estrangeiros indesejados. Interpreta um homem que se faz passar por louco para escapar a esse Estado, e, nisso, sem querer, inconscientemente, interpreta a si mesmo, porque está mesmo demente. Sua loucura é achar que é um dos homens perseguidos pelas medidas que ele próprio criou e impetrou. Faz-se passar pelo homem que ele gostaria de ter sido, um ator, se não tivesse caído na própria armadilha e se tornado um funcionário público, com a desculpa do amor pela família e pela pátria. E, de algum jeito, na demência, ele afinal se realiza. Lá está ele na janela, dissimulado entre as cortinas, achando que não o vejo. Meu pai. Quando eu era pequeno e ainda vivia nesse apartamento com ele e minha mãe, ele costumava me levar ao teatro nos fins de semana, quando não estava concebendo novas medidas para perseguir, prender e expulsar gente indesejada neste país. Foi no teatro que eu o vi chorar. Eu o vi chorar assistindo a Macbeth, a Fausto e a Orestes. E se agora ao me ver ele se lembra de Macbeth, Fausto e Orestes e fala de suas interpretações pessoais de Macbeth, Fausto e Orestes, deve ser porque no fundo também se lembra de mim ao lado dele no teatro. De alguma forma, ainda se lembra de mim, embora me expulse e me acuse de estrangeiro, como expulsou tantos outros indesejados deste país. De alguma maneira, deve me reconhecer ao fazer alusão às peças que vimos juntos, quando relembra Macbeth, Fausto e Orestes, que vingou o pai, como se assim nós dois, pai e filho, também criássemos um vínculo pelo teatro, mesmo se me chama estrangeiro quando venho visitá-lo todos os meses. Deve atribuir a mim a morte de sua mulher, minha mãe, quando me fala de Orestes, e a perda da sua juventude, quando me fala de Fausto. Só não sei o que pode querer dizer com Macbeth, além de me falar da sua desgraça. Desde que resolvi tirá-lo do asilo mequetrefe, da casa de repouso onde o havia deixado depois da morte de minha mãe, para que não ficasse só, porque vivo em turnês com a companhia, quando entendi afinal o meu erro, depois de sua permanência no asilo ter-se revelado impraticável, e o trouxe de volta para este apartamento onde ele tinha vivido mais de cinquenta anos com ela e onde continuará sozinho pelo resto dos seus dias, passou a encenar a vida doméstica ao lado de uma mulher que não existe. Diz que é para a vizinha ouvir. A vizinha é sua plateia. A essa mulher inexistente, com quem ele passou a viver para a vizinha ouvir, contou o que teria sido antes de vir para cá, para este país. E o que ele foi nessa história, nessa encenação de refugiado, é em grande parte o ator que ele gostaria de ter sido, a recriar os clássicos à sua maneira, em vez do funcionário público exemplar que encorajou a prática da denúncia anônima entre os mais próximos, dentro das famílias, entre pais e filhos, para defender a pátria. Graças à política que ele concebeu e ajudou a impor, vizinhos passaram a vigiar uns aos outros, irmãos e amigos passaram a denunciar uns aos outros para mostrar serviço à sua pátria de adoção. Graças à sua política, ele pôs o amor à prova e o amor perdeu. A convicção e a suspeita ganharam valor de prova, com o apoio da opinião pública amedrontada por atentados anônimos. Foi para isso que meu pai abriu mão de uma carreira nos palcos, para se consagrar às denúncias, às condenações e às deportações. Lá está ele dissimulado entre as cortinas. Não dá para saber quantos homens e mulheres foram deportados graças às medidas que ele adotou para defender a pátria. Ele mesmo não conhece a história e o destino das suas vítimas, mandadas de volta para os lugares de onde tentavam escapar em vão, vindo para cá, para acabar enredadas nas medidas de segurança que ele concebeu. É por não saber nada delas, do que foram e do que se tornaram, que ele se sente tão à vontade para inventar e encarnar, na demência, o papel de um refugiado que finge estar demente para se salvar e que encena a mesma peça todos os meses, quando o filho vem visitá-lo. Talvez tenha sido por querer saber o que foram e o que se tornaram os homens e as mulheres que ele condenou e deportou, sem sujar as mãos, no conforto de seu gabinete num ministério qualquer, talvez tenha sido por não conhecer deles nada além dos nomes, e às vezes nem isso, que ele se tornou um deles na demência, como se fosse um deles a se fazer demente para se salvar.

Não cabe a mim contradizê-lo, trazer a verdade do mundo do lado de fora. Nunca reconhecerá que quis ser ator na juventude nem que o filho acabou se tornando ator profissional por causa dele, para cumprir a promessa que ele traiu, o que deixou para trás, o que ele não foi, e encenar os clássicos. Insiste em contar uma história de refugiado, como se fosse sua, como se atuasse. Não diz que teve mulher e filho. Mas o seu papel é interpretar um homem que teve mulher, que a engravidou antes de vir para cá, que não conheceu o filho e que não reconhecerá que tinha poucas chances de chegar aqui se dissesse que tinha deixado para trás a mulher grávida, e ainda menos chances se tivesse vindo com ela. Acredita que eu seja o filho que esse homem deixou para trás e que veio lhe cobrar por ter sido abandonado. Seu papel é fazer-se de louco para o filho, embora esteja mesmo demente. Acha que o mandarão de volta se descobrirem que em seu passado há um crime. E para ele não pode haver maior crime do que ter posto um filho no mundo e tê-lo deixado para trás para salvar a própria pele. Quando digo que já não há guerra no país de onde ele vem, ele fica ainda mais nervoso. Teme ser mandado de volta se já não houver razão para estar aqui. Não quer saber se a guerra acabou, se já não há do que fugir. *(ele alterna entre olhar para o público e para cima e para trás, como se olhasse para a janela no alto do prédio)* Lá está ele agora, pôs a cabeça para fora da janela para me ver melhor, a despeito da vizinha que na sua história o entregou à polícia por suspeitar de algum crime que ele não cometeu. Lá está ele, com a cabeça para fora da janela, a me procurar entre os pedestres, os que têm ou tiveram mãe, pai e família e já pensam nos filhos que terão, os que também serão pais num ciclo que não será interrompido nunca, a despeito de homens como ele, lá está ele a observá-los do alto do edifício, à procura do filho perdido entre os que se preocupam com os filhos que os esperam em casa e os que pensam nos filhos que terão um dia e já os imaginam à sua imagem ou anseiam por uma imagem que ainda não são capazes de imaginar. Lá está ele, lá em cima, à procura do filho no meio de tantos outros pais e filhos, sem saber que também o observo e que finjo acreditar que sua demência é fingimento, parte do seu papel para não contrariá-lo no final da vida, finjo acreditar que o único crime que cometeu foi ter me posto no mundo e me abandonado. Lá está ele, lá em cima, depois de uma vida a zelar pela pátria, à procura do filho que antes não reconheceu. Diz que nunca me viu, entre tantos pais e filhos que caminham nesta rua ou esperam nesta esquina, ao meu lado, para atravessar a rua. Vejo que afinal me vê e me reconhece e continua a me olhar, como eu a ele, imóvel e calado. Cansado talvez de estar louco e da loucura que é o que lhe resta para sobreviver e à qual se agarra como a uma criação insuspeita, como a uma tábua de salvação, depois de uma vida a zelar pela pátria. Lá está ele a pagar pela história que inventou para si. Em outros tempos, teria acenado, desejando-me sorte no caminho. No papel que me atribui a cada vez que venho visitá-lo, sou o filho estrangeiro que ele abandonou antes de nascer. No papel que me atribui e ao qual tento corresponder da melhor maneira, cresci sem saber que ele existia e quando afinal descobri sobre ele, foi para ouvir horrores, as piores coisas que se podem dizer sobre um homem que deixou a mulher e o filho para trás para fugir sozinho do horror que os condenava ao lugar onde haviam nascido. No papel que me atribui, devo ter ouvido de minha mãe que ele era o mais vil, o mais reles e o mais covarde dos homens. E que, se eu sobrevivesse à guerra e aos horrores que ele havia deixado para trás, fugindo sozinho, deveria esquecê-lo em vez de vir visitá-lo mensalmente no país onde se refugiou. O papel que me atribui em sua demência, e que eu tento achar que é para me desincumbir da culpa, me faz vir procurá-lo depois de lhe escrever e de lhe telefonar, como se fosse sempre a primeira vez. É o que eu faço todos os meses. E é o que eu faria de qualquer jeito, mesmo se ele não estivesse demente nem me atribuísse papel nenhum.

A cada visita, quer saber se eu faço ideia de como foi difícil chegar aqui, como se eu não tivesse vindo e não estivesse diante dele. Todos os meses, como se fosse a primeira vez que me vê e me esperasse há anos. E aí conta sua odisseia, como um refugiado que tivesse perdido a cabeça depois de ter sido preso, vítima das medidas de segurança que ele próprio concebeu e disseminou quando era funcionário público, com o argumento de defender a pátria. Conta que antes de eu nascer os barcos partiam do país de onde ele supostamente teria vindo na sua história demente, o país de onde supostamente venho visitá-

-lo todos os meses, barcos apinhados de gente tentando escapar ao inferno. Às vezes me irrito com essa história de que não é meu pai e digo que, quando nasci, já fazia anos que ele tinha desaparecido, insinuando que de fato não possa ser meu pai. Mas ele ignora as ironias e a minha irritação. Espera que eu insista que sou seu filho a despeito do que ele me diz. Então, represento também e nos reencontramos no teatro. Digo que só aos dez anos ousei perguntar à minha mãe quem era o meu pai. Digo que até então o máximo que eu tinha feito fora ouvir os insultos que ela lhe dedicava quando se irritava comigo, para não me bater, como se descontasse num fantasma a cólera que eu lhe provocava apenas por ser filho dele. Faço de propósito, para provocá-lo. De vez em quando, quando perco a paciência, digo que na infância sempre fiz tudo errado de propósito e que, sempre que eu cometia um erro, ela aproveitava para dizer que essa era a minha herança, que eu era igual a ele e que era isso o que ele tinha nos deixado, o erro ambulante que era eu, abandonado no inferno. Digo que, quando me tornei adulto, a minha maior preocupação passou a ser não engravidar as namoradas para não me parecer com ele. Às vezes, digo que, aos dezoito anos, imaginei uma máquina individual de voar, capaz de me trazer até aqui. E que a desenhei, entre uma casa e outra, entre uma bomba e outra, porque na guerra tudo é temporário. E por alguma razão isso o deixa feliz e o faz chorar. Ele para de falar de repente e escuta, como se deixasse de interpretar, como se tivesse despertado de um pesadelo e voltasse a ser quem de fato é.

Lá está ele, na janela, escondido entre as cortinas, a me observar como se eu não o visse, enquanto espero para atravessar a rua. Lá está ele, pensando, provavelmente, que não entendi que, na sua loucura, que é sua prisão e sua única saída, no que me diz fazendo-se de louco, há também uma verdade. Lá está ele pensando que não entendi que a mentira de sua cena é também uma revelação e que já não há nada a dizer ou explicar. Lá está ele, a me observar entre os que avançam nas calçadas, enquanto olho para ele, para trás e para o alto, na esquina, esperando para atravessar a rua.

O sinal vai abrir de novo para os pedestres e será a minha vez de seguir adiante. O sinal vai abrir e, quando eu olhar de volta, para trás e para o alto, ele já não estará lá, na janela, já nem poderei dizer se alguma vez de fato esteve lá e se realmente o vi lá no alto a me procurar entre os que seguem em frente, cada vez mais depressa ou mais determinados a não olhar para trás, aconteça o que acontecer, determinados a não deixar nada se interpor em seu caminho adiante, o dos seus filhos e o dos filhos dos seus filhos, sempre em frente, sem hesitação.

7. *(O ator retoma o lugar do pai, espia entre as cortinas, como se olhasse a rua pela janela no alto do prédio)* Lá está ele, na esquina, olhando para mim. Ou melhor, para a minha janela, porque posso vê-lo, mas ele não me vê, estou escondido entre as cortinas. Lá está ele. Parou na esquina, antes de atravessar a rua. *(volta-se para o público)* Eu o vi saindo do prédio e o acompanhei enquanto

ele andava até a esquina. Parecia decidido, ia com a cabeça baixa ou talvez apenas olhasse para a frente, como um desesperado, mas quando chegou à esquina, antes de atravessar a rua, parou de repente, e não só por causa dos carros, olhou para trás e para cima, levantou a cabeça para a minha janela. Não me viu, é claro, porque aprendi a me dissimular durante todos estes anos. Ele está olhando para mim, mas não me vê, é claro. A vizinha também não me vê. Pode ter visto um estrangeiro entrando e saindo do prédio, mas não o viu no meu apartamento, porque agora mantenho as cortinas fechadas. Ele não acreditou na história que ouviu. Não queria acreditar. Preferia acreditar que eu não estivesse louco. Preferia me abraçar e me perdoar. Se parou na esquina e está olhando para cá, para trás e para o alto, talvez seja porque, no último instante antes de atravessar a rua, achou que pudesse me ver, que eu pudesse estar na janela, olhando para ele também, em silêncio, e que pudéssemos nos perdoar. E que eu pudesse acenar como um pai acenaria a um filho querido, desejando-lhe boa sorte no caminho. Talvez tivesse pensado em me livrar dessa culpa, que pudesse afinal me libertar da minha história. Talvez tivesse vindo para isso. Talvez. Mas agora é tarde, ele desvia os olhos e a cabeça, o sinal abriu para ele e ele retoma o passo, atravessa a rua, já não olha para trás.

 Fiz-me de louco durante o quê?, uma hora?, mais? *(olha o relógio no pulso)*, como se fosse seu pai a dizer que não sou seu pai. O que eu não disse nem podia dizer, claramente, quero dizer, a não ser que fosse realmente louco, é que de fato não sou seu pai. Sou um impostor, tomei o lugar do pai morto no mar, enterrado numa praia qualquer sob o número 907859133. O que eu não disse nem podia é que, quando perguntei ao seu pai, meu companheiro de travessia, a razão da viagem e de tanto esforço, respondeu-me que tudo o que fez e faria na vida, todas as medidas que tomou e viria a tomar tinham por único objetivo um dia conhecer o filho, voltar ao inferno e salvar o filho que ia nascer.

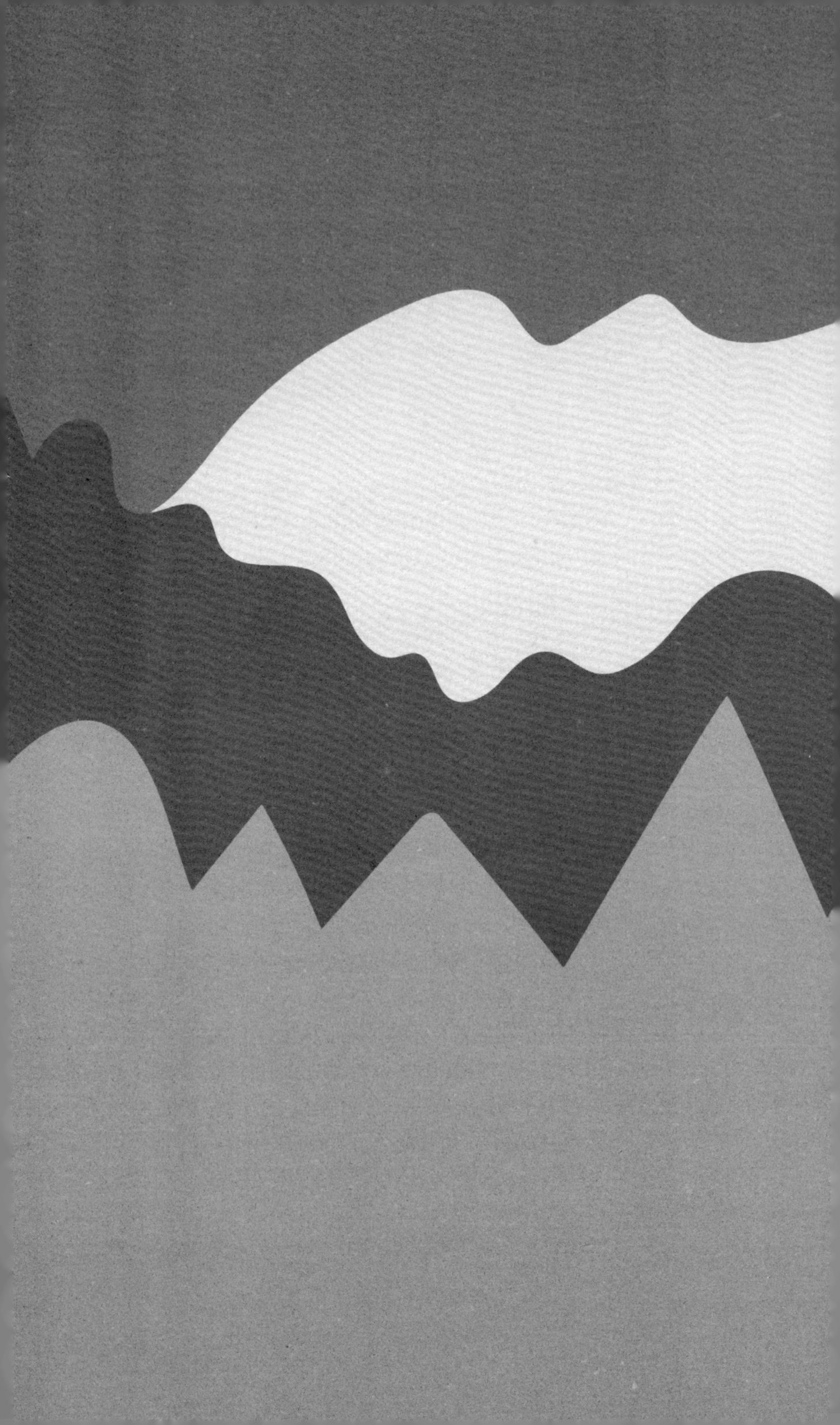

A maldita circunstância de água por todo lado
Leonardo Padura

I

Um dos meus passeios preferidos, como o de dezenas, centenas de milhares, talvez até milhões de havaneses (agora que somos dois milhões), é o percurso costeiro que marca o muro do Malecón. Na verdade, eu preciso confessar que faz bastante tempo que não o faço da melhor forma que há, ou seja, a pé, sem pressa, no final da tarde, de leste a oeste, no sentido do tempo histórico de seu desenvolvimento, desde a Habana Vieja ou colonial, onde nasceu a vila, até onde se expandiu ao longo do século 20, o bairro El Vedado. Nos últimos anos, com maior frequência, faço a travessia de carro, mas, apesar da vertigem, a sensação que sempre me deixa esse trajeto havanês é confusa e contraditória, embora patente e até visceral. Como uma advertência cheia de significados profundos que vão além das evidências físicas visíveis.

Mas me deixem explicar melhor. Para aqueles que não conhecem Havana, minha cidade, devo dizer que o Malecón constitui ao mesmo tempo uma e muitas coisas: é, em primeiro lugar, um muro de cerca de um metro de altura e sessenta centímetros de largura que separa o mar da cidade faz um século. Com orgulho, os havaneses dizemos que é um banco no parque público mais comprido do mundo, visto que é um hábito arraigado sentar-se no muro, umas vezes de frente e outras vezes de costas para o mar, para curtir a brisa (quando há brisa) e praticar um dos mais amados esportes nacionais: *el dolce far niente*. Em geral, quem senta de cara para a cidade quer ver passar o tempo, as pessoas, contemplar a vida dos outros. Aqueles que optam por se acomodar de frente para o mar quase sempre estão empenhados em olhar para dentro de si mesmos, enquanto observam a superfície plana ou cacheada do oceano, um eterno mistério, promissório como todos os enigmas.

Paralela ao muro, transcorre uma calçada de três ou quatro metros de largura, na qual pode ser executado esse passeio pedestre, e, do lado, uma avenida de seis pistas, onde o trajeto pode ser feito de carro, a velocidades máximas de até oitenta quilômetros por hora, melhor se for com as janelas abertas para dar livre acesso aos eflúvios do mar. Do outro lado da avenida, depois da habitual calçada, estão os prédios que, na luta diária contra a agressividade do salitre, curtem e sofrem na mesma medida da corrosiva proximidade do oceano, ao qual devem seus diversos, embora garantidos, níveis de deterioração.

Mas a essência do Malecón havanês não é seu muro, nem sua avenida, nem suas edificações carcomidas, e sim o fato de ele ser, precisa e evidentemente, a fronteira entre a terra e o mar. Uma terra quente e um mar que, debruçado na corrente do Golfo de México que sobe em direção ao Oceano Atlântico, pode passar de aprazível a furioso, às vezes num mesmo dia. A fronteira que marca o Malecón não é apenas geográfica (terra e mar), física (sólido e líquido), mas também orgânica e espiritual (dentro e fora), pois representa o que com maior frequência revela aos cubanos, e em especial aos havaneses, o que tem sido a essência de um jeito de ser, de ver e de viver a vida: a insularidade. O Malecón constitui o fim de uma coisa e o início de outra, dependendo do ponto de vista ou do estado de espírito com que se olhe. Início ou fim da ilha; início ou fim do que está além, sempre como uma promessa mais ou menos tentadora, mais ou menos inatingível. O Malecón é a constância material e visual de uma condição geográfica, advertida às vezes como uma fatalidade, que o poeta Virgilio Piñera, em seu verso mais celebrado e citado, qualificou como "A maldita circunstância de água por todo lado" (*La isla en peso*, 1943).

II
O sentimento e o fato da insularidade inapelável revelada e resumida pelo Malecón havanês ficaram mais evidentes e traumáticos porque, durante mais de cinquenta anos, os habitantes do país não puderam mover-se para além dos limites da ilha. Uma das leis revolucio-

nárias que entraram em vigor na década de 60, quando o governo adotou o socialismo como seu sistema político, foi a de controlar de forma rígida o movimento de seus cidadãos para o mundo que está do lado de fora do Malecón. Desde então se ergueram densos muros fronteiriços, ao ser instituídas figuras jurídicas como a "autorização de saída", que as autoridades migratórias cubanas deviam conceder àqueles que pretendiam viajar, ou a de "saída definitiva", que significava a concessão de uma autorização para partir, sob a condição de que não se contemplasse nunca mais o retorno ao país natal que se estava abandonando. Para fazer mais patente essa impossibilidade de voltar, quem optava pela "saída definitiva" tinha todos seus bens confiscados (casa, carro, objetos materiais, incluída a roupa que não coubesse em duas malas), depois de terem sido inventariados pelas autoridades. Era um ato radical, para que o emigrante que quisesse voltar não tivesse aonde, pois de fato se convertia num apátrida, alguém que perdia todo e qualquer direito cidadão.

Com aquelas fiscalizações e leis drásticas se pretendeu, naquele momento, controlar a migração massiva de profissionais que esvaiu o país nos primeiros anos revolucionários; mais tarde, o objetivo foi limitar a possível vontade desses profissionais, ou esportistas, ou funcionários, ou simples cidadãos, que só podiam tentar a sorte em outras terras caso lhes fosse concedida essa dolorosa "autorização de saída" que os transformava em apátridas — pessoas sem pátria... Até pouco tempo atrás, com essa lei onerosa, também se punia ou se premiava, se permitia ou se impedia: desde o poder, se decidia o destino e os desejos das pessoas.

Alejo Carpentier, outro dos grandes escritores cubanos do século 20, retratou, num dos seus romances, o sentimento opressivo da insularidade e como ela se faz mais palpável pela impossibilidade de ser quebrada pelas grades legais impostas. No começo de um de seus grandes romances, um dos personagens havaneses "pensava, entristecido, na vida rotineira que agora o esperava [...] condenado a viver naquela urbe ultramarina, ínsula dentro da ínsula, com grades de oceano fechadas por cima de toda aventura possível [...] O adolescente padecia como nunca, naquele momento, da sensação de confinamento que produz o fato de viver numa ilha; de estar numa terra sem caminhos para outras terras onde se pudesse chegar rodando, cavalgando, caminhando, traspassando fronteiras...". E já perto do final da obra, outro de seus personagens, também havanês, sente: "...continuava preso com toda uma cidade, com todo um país, por cárcere. [...] apenas o mar era porta, e essa porta estava fechada com enormes chaves de papel, que eram as piores. Nessa época se assistia a uma multiplicação, a uma proliferação de papéis, cheios de cunhos, carimbos, selos, assinaturas e mais assinaturas, cujos nomes esgotavam os sinônimos de *licença, salvo-conduto, passaporte* e quantos vocábulos pudessem significar uma autorização para mover-se de um país para outro, de uma comarca para outra — às vezes de uma cidade para outra. Os almoxarifes, dizimeiros, arrecadadores de pedágios, alfandegueiros e aduaneiros de outros tempos ficavam como pitorescos anúncios do conchavo policial e político que agora se dedicava, em todas as partes — uns por temor à Revolução, outros por temor à contrarrevolução —, a coarctar a liberdade do homem no relacionado à sua primordial, fecunda, criadora possibilidade de se mover sobre a superfície do planeta que tivesse a sorte de habitar...". O mais curioso é que estes dois personagens são Carlos e Esteban, dois dos protagonistas de *El siglo de las luces* (1962), e que suas experiências remetem aos anos finais do século 18 e aos primeiros do 19, antes e durante outra revolução: a que começou em Paris com a Tomada da Bastilha. Mais significativo ainda resulta, porém, que, enquanto se publicava este grande romance, com esta clara denúncia aos históricos confinamentos territoriais decretados pelo poder, em Cuba se colocava em circulação uma lei que controlava duramente "a liberdade do homem [...] [para] se mover sobre a superfície do planeta que tivesse a sorte de habitar...". Terrível conjunção poética.

 O fato de que tanto Carpentier quanto Piñera, antes que fossem aplicadas as leis revolucionárias destinadas a controlar a emigração, se referissem de forma tão dramática ao sentimento de confinamento que produz a insularidade geográfica e legal (pois *El siglo de las luces* foi terminado dois ou três anos antes de sua publicação, segundo seu autor, e o poema *La isla en peso* data dos anos 40) explica melhor como pôde ter se manifestado essa condição de insularidade num país moderno, de finais do século 20 e começos do 21, onde os cidadãos dependeram durante cinquenta anos de rígidas autorizações oficiais para sair do país ou voltar a ele. Além disso, claro, se entende melhor o que podia significar, no imaginário nacional, a muralha sólida do Malecón havanês e a vastidão que se estendia à sua frente.

Até apenas um ano atrás, o sistema estabelecido em Cuba para viajar ao estrangeiro contemplava, essencialmente, quatro variantes para atravessar as fronteiras da ilha. A mais comum era que o cidadão fizesse parte de uma delegação oficial ou fosse convocado para realizar algum trabalho no exterior que contasse com o apoio, a vênia ou a necessidade estatal. Por essa via viajavam funcionários, esportistas, jornalistas, artistas (éramos os que tinham mais liberdade, é preciso dizer), também os cooperantes internacionalistas (Nicarágua, Venezuela, etc.), os soldados que participaram em campanhas como as de Angola ou da Etiópia, nas décadas de 70 e 80, ou os muitos jovens que se formaram em universidades do antigo bloco socialista. A segunda via era a viagem pessoal, à qual podiam ter acesso, sobretudo partir de 1980, os cubanos que fossem convidados por um familiar ou amigo a ficar um tempo no exterior (algo muito almejado entre os cubanos maiores de idade com família nos Estados Unidos), para o qual era indispensável obter a autorização de saída conhecida como "carta branca". A terceira opção era a "saída definitiva", antes mencionada, que podia ser muito complicada caso se tratasse, por exemplo, de um profissional com estudos universitários que, para fazer a viagem sem retorno, dependia de que, em seu emprego, lhe dessem uma "carta de liberação", um documento com remanescente sonoridade dos tempos da escravidão, que por sua vez era indispensável para ter acesso a outra epístola, a "carta branca", que abria as portas de saída da ilha. E a quarta via era a partida para o exílio sem autorização, opção que se concretizava de duas formas fundamentalmente: a "saída ilegal", quase sempre em embarcações rudimentares através do Estreito da Flórida, à qual se lançavam aqueles que não conseguiam a autorização de saída, a carta de liberação ou o visto de outro país, em especial dos Estados Unidos, e se sentiam forçados a empreender uma travessia na qual tem morrido uma cifra não conhecida de cubanos; e a opção de "ficar", que podiam pôr em prática os que viajavam com autorização de saída e visto (os funcionários, esportistas, artistas, estudantes) e decidiam não voltar ao país, mesmo sabendo que, como punição, na maioria dos casos as fronteiras da ilha se fechariam por tempo indefinido para aquele que tinha ficado (caso desejasse voltar) e para seus familiares mais próximos (caso desejassem emigrar). Somadas todas essas alternativas, não deixa de resultar curioso que, de um país de fronteiras quase fechadas por lei, ainda por cima fisicamente insular, saíssem tantas pessoas usando tão diversas rotas. O resultado das saídas e fugas tem sido que, em cinco décadas, cerca de uma quinta parte da população cubana se encontra espalhada pelos mais recônditos lugares do planeta — incluída a Groenlândia...

Só no começo de 2013, como parte da política de mudanças empreendida pelo governo de Raúl Castro, sucessor de seu irmão Fidel, a infame figura da "autorização de saída" foi por fim abolida, mas ainda não aconteceu o mesmo com a "carta de liberação" para algumas profissões e cargos. Durante anos, muitas vozes em Cuba, de pessoas que, mesmo tendo a possibilidade de viajar, decidimos viver em Cuba, reclamaram o reestabelecimento da liberdade de movimento dos cidadãos no país. E, depois de anúncios, controvérsias, advertências de possíveis ou seguras limitações, a velha lei migratória finalmente foi modificada e, desde janeiro de 2013, praticamente a totalidade das pessoas pode viajar para onde quiser, tendo apenas um passaporte habilitado, e trasladar-se para onde puder, sempre que lhes seja concedido o visto de entrada no país de destino escolhido, um trâmite que na maioria dos casos continua sendo difícil, pode-se dizer que até mais difícil que antes, agora que os cubanos não precisam de autorização de seu governo para sair e voltar (ou não) à pátria...

Esta nova conjuntura, que já tem sido aproveitada por muitas pessoas com a intenção de ir embora do país por um tempo breve ou dilatado, tem feito com que alguns comecem a olhar de um modo diferente as centenas de metros de concreto armado do muro do Malecón... ao menos alentados por um sonho, uma possibilidade. Sobretudo, por um direito.

III

Essa fatídica insularidade "acentuada" que viveu Cuba durante meio século gerou infinitos traumas de diversa profundidade, a ambos lados do muro do Malecón.

É verdade que o exílio, o desejo ou a necessidade de partir, faz parte essencial da história e da espiritualidade cubana desde muito antes da construção do muro do

Malecón ou se ditassem leis revolucionárias destinadas a controlar a migração. O primeiro escritor verdadeiramente cubano, José María Heredia (primo do parnasiano francês que, na verdade, era outro exilado cubano), foi também o primeiro homem cubano que sofreu os rigores do exílio, nos tempos coloniais, por causa de suas ideias independentistas. Desde que se viu obrigado a fugir de Cuba, a finais de 1822, Heredia não pôde voltar à sua pátria até 1836, quando, doente de tuberculose e desenganado de seus ideais, se atreveu a pedir uma autorização ao governador espanhol da ilha com a intenção de ver por última vez sua mãe. O capitão general Miguel Tacón lhe concedeu então dois meses de estadia no país, mas sob a condição de que não participasse de nenhuma atividade política... Foi nesse longo exílio, vivido nos Estados Unidos e no México, que Heredia escreveu vários de seus poemas mais transcendentais e publicou seus livros, conformando a primeira grande obra lírica da literatura cubana, a mais alta expressão do romantismo em língua espanhola. Entre esses poemas sempre se destaca a comovedora ode *Niágara* (escrita em 1824, com vinte anos recém-completados), na qual ele funda a nostalgia pela pátria cubana perdida, em versos mais do que célebres para todos os seus compatriotas, quando diante da grandiosidade das cataratas ele pergunta à natureza:

"Mas o quê a minha anelante vista busca em ti
Com inútil afã? Por que não olho
Ao redor de tua caverna imensa
As palmas, ai! As palmas deliciosas,

Que nas planícies da minha ardente pátria
Nascem do sol ao sorriso, e crescem,
E ao sopro das brisas do Oceano,
Sob um céu puríssimo balançam?"

Foi também no exílio que Heredia escreveu o desgarrador *Himno del desterrado*, cujos versos repetiram os combatentes das guerras independentistas da segunda metade do século 19; versos que guardam essas rimas premonitórias do caráter nacional: "Doce Cuba!, em teu seio se olham / Em seu mais alto e profundo grau / A beleza do mundo físico / Os horrores do mundo moral".

O maior romancista cubano do século 19, Cirilo Villaverde, se viu forçado a partir para o exílio norte-americano, e um dos mais lúcidos pensadores desse tempo, José Antonio Saco, terminaria seus dias na metrópole espanhola.

É muito conhecido que outro dos grandes poetas ibero-americanos do século 19, o apóstolo da independência de Cuba José Martí, igual sofreu o exílio. Mas, na distância, Martí não só escreveu suas melhores páginas como também preparou a guerra que no fim conduziria à independência de Cuba. Talvez pelos tantos anos de separação forçada, que o obrigou a cruzar tantas vezes o oceano à procura de destinos transitórios para viver e alimentar seu projeto político, Martí escreveu um dos seus versos mais conhecidos: "O arroio da serra / me agrada mais do que o mar...".

Como Martí, Heredia, Villaverde e Saco, ao longo de dois séculos, dezenas de escritores cubanos, incluídos

Alejo Carpentier e Virgilio Piñera, se viram levados, voluntária ou involuntariamente, a partir para o exílio em determinados momentos da história cubana, convertendo a distância física numa constante da literatura nacional. Depois, com a pirueta histórica que sempre implica uma revolução, outra grande quantidade de escritores decidiu partir, antes ou depois, a maioria deles para nunca mais voltar: Severo Sarduy, Guillermo Cabrera Infante, Reinaldo Arenas, entre os mais conhecidos. Em muitos casos, a parte mais nutrida e significativa de suas obras se escreveu na distância e, em muitos casos, com o olhar e a alma postos na terra que começa e termina no muro do Malecón.

Foi precisamente Reinaldo Arenas, já no exílio, que imaginou num de seus romances o modo como os cubanos poderiam derrotar o confinamento da insularidade: todos os habitantes da ilha se jogavam no mar e, como podiam e com o que podiam, a desprendiam de sua plataforma insular e a deixavam boiar à procura de outros horizontes, outras fronteiras.

Há, no entanto, escritores cubanos que têm feito da "maldita circunstância de água por todo lado" e das proibições ou dificuldades para cruzar as fronteiras do país a essência de sua vida e sua literatura. Talvez o caso mais significativo e duradouro seja o do poeta e romancista José Lezama Lima, um dos grandes autores do século 20 ibero-americano, que saiu de Cuba apenas uma vez: foi para Jamaica, a ilha vizinha, dez vezes menor (ou seja, mais insular que sua terra de origem). Toda a vida de Lezama transcorreu, pois, nessa Havana cercada em sua vertente norte pelo muro do Malecón, a cidade onde o escritor se declarou um "viajante imóvel", enquanto se trasladava a outros mundos perdidos, exóticos, ideais, através de suas leituras. Sua obra, não obstante seu apego físico à ilha, é a menos tipicamente cubana que se possa conceber, no relativo a densidades, linguagens, pretensões: junto a Carpentier, que perseguiu de forma ostensiva o universal como fundamento de sua estética, Lezama o alcançou pela distância poética que colocou entre sua achatada realidade cotidiana de funcionário público e seu olhar guloso de homem dotado de um espírito sem fronteiras culturais nem temporais.

IV

A insularidade que simbólica e fisicamente revela a serpente pétrea do Malecón não tem perdido seu sentido pela favorável e recente mudança de leis. É verdade que a liberdade obtida pelos cidadãos cubanos com uma política migratória que quase chega à normalidade universal tem baixado tensões, tem gerado esperanças, inclusive tem concretizado sonhos de viajantes que não pretendiam a voluntária imobilidade lezamiana. Porém, ir além do que demarca o mais famoso e concorrido passeio havanês e cubano continua sendo um desafio para as pessoas que, em sua imensa maioria, têm vedada a possibilidade econômica de viajar como turistas e que, nos consulados de muitos países de possível estadia ou destino, são vistos como "imigrantes em potencial" e lhes são exigidos os mais diversos documentos para obter um visto. O Malecón continua aí, firme em seus alicerces essenciais, testemunha — para alguns — de uma fatalidade geográfica.

Mas o fato de ter nascido e vivido numa ilha e, portanto, sentir-se rodeado de "a maldita circunstância de água por todo lado" gera muitos outros efeitos espirituais e materiais.

Se bem que, como antes evidenciei, uma parte muito notável e abundante da literatura — e em geral, da cultura — cubana tem sido feita fora das quatro paredes da ilha, para o escritor cubano dos últimos cinquenta anos que, por pelos motivos que for, tenha decidido permanecer em sua terra, o mundo exterior tem sido um destino de difícil acesso literário.

A fronteira física do Malecón também foi, até apenas vinte anos, um muro físico para as aspirações dos autores do país de se mostrar literariamente. Outra lei, ou disposição, ou regulação (vai saber como se chamava), obrigava os escritores a comercializar suas obras com as editoras do mundo através de uma agência literária, adjunta do Ministério da Cultura, a única instância autorizada para gerenciar edições, assinar contratos e cobrar regalias, com o correspondente ganho. Dominada pela ineficiência, a ortodoxia política, as lentidões burocráticas, essa chamada *Agencia Literaria Latinoamericana* tentava "vender" autores e obras em outros países, enquanto os criadores deviam esperar pacientemente que a instituição obtivesse uma resposta afirmativa. Caso se chegasse a um acordo de edição estrangeira, o escritor recebia um percentual das cifras acordadas e, durante anos, o dinheiro chegava para ele já cambiado a pesos cubanos que só serviam para cobrir gastos do lado de cá do Malecón.

Outra pirueta histórica começou a mudar essa situação. Sorte para alguns, azar para muitos, nos anos 90, após a desaparição da União Soviética, Cuba começou a viver uma crise econômica tão profunda que as paredes mais sólidas sofreram rachaduras... e por uma delas deslizaram os escritores cubanos em sua procura individual e desesperada por editores fora do país.

A determinação, que, no começo, encheu de ilusões a tantos, foi, contudo, degradada pela realidade: as histórias que os autores cubanos achavam importantes e atrativas, as escritas que pretendiam ser renovadoras, cuja procedência tinha algo de mórbido e interessante, não o foi para a maioria das casas editoras da língua — ainda menos para as de outros idiomas — e a insularidade literária caiu como um fardo sobre as pretensões de muitos autores que não puderam atravessar o muro do mercado e precisaram se conformar, quando muito, com continuar publicando em Cuba — caso pudessem — ou em selos pequenos ou marginais do largo mundo que está além dos mares que rodeiam a ilha.

Talvez a explicação para esse fracasso seja tão simples, como que os confinamentos dilatados, a insularidade física e mental, têm o efeito secundário e indesejável de provocar o localismo, ou seja, o olhar centrado, concentrado, no interior. O próprio Carpentier, citando Unamuno, alguma vez advertiu, se referindo à cultura de todo o continente latino-americano: a essência da arte é "achar o universal nas entranhas do local". Mas como se aproximar do universal desde o convívio contínuo e autofágico com o local? Como ver o que há além do mar se, durante gerações, apenas se têm visto flashes daqueles lugares, amostras autorizadas a serem exibidas por uma política também restritiva do que um habitante da ilha pode ou não consumir política e culturalmente? Os confinamentos físicos, claro, podem acabar provocando confinamentos mentais. Castrações, inclusive. Nem todos os imobilizados podem virar viajantes como Lezama Lima, porque, entre outras razões, nem todos somos Lezama Lima. E estamos longe de sê-lo.

V

A insularidade gera também um efeito benéfico: o sentimento de pertencimento. Acredito que poucos habitantes do mundo tenham desenvolvido um sentimento de pertencimento tão forte quanto o cubano — e, embora seguramente eu esteja errado, acredito e quero vê-lo dessa forma. Quiçá a demonstração mais patente dessa qualidade não esteja nos cubanos que permanecem na ilha, mas, com certeza, naqueles que, às vezes com muito trabalho, sacrifícios e riscos, optaram pela distância do exílio. Um velho amigo, escritor cubano radicado na Espanha faz duas décadas, me expressou essa realidade com as palavras "o problema dos cubanos é que nem fugindo de Cuba saímos de Cuba". Algo assim foi o que aconteceu com os independentistas Heredia e Martí no século 19, ATADOS POÉTICA E POLITICAMENTE À PÁTRIA DE ORIGEM; o mesmo que aconteceu com Guillermo

Cabrera Infante e Reinaldo Arenas em seus desterros políticos recentes, quando continuaram escrevendo sobre Cuba e "em cubano", fazendo parte da cultura-mãe, enquanto se anquilosavam num ódio permanente pelo sistema político do país e até contra muitos compatriotas, pelo simples fato de terem decidido permanecer na ilha. Foi também o que aconteceu com Eliseo Alberto; na distância, porém, mais cubano do que nunca, capaz de assegurar que "ninguém ama Cuba mais do que eu".

Muitas, demasiadas vezes, os jornalistas de diversas partes do mundo têm me perguntado por que eu decidi continuar morando em Cuba, tendo editoras que publicam meus livros em vinte países, produtores de cinema na metade de Europa com os quais trabalhei e trabalho, tendo, inclusive, a cidadania espanhola (e o famoso passaporte que abre tantas portas) que, por acordo do Conselho de Ministros, me concedeu o Reino da Espanha... E a única resposta possível tem sido sempre uma e sempre a mesma: porque sou cubano, um escritor cubano, que escreve sobre Cuba e sobre os cubanos e que, por decisão e vontade própria, tem decidido — inclusive nos momentos mais duros de minha vida e da vida do país, como esses desoladores e famintos anos 90 — permanecer vivendo e escrevendo em Cuba. É que o sentimento de pertencimento não só me ata a meu país, à minha cidade (com seu Malecón e seu muro), a meu bairro (moro no mesmo lugar onde nasci), mas me adverte de algo mais complicado: que nunca vou ser outra coisa que um escritor cubano e que, de viver em outro lugar, seria um desses cubanos que nunca poderia "sair" de Cuba.

Talvez o fato de eu ter nascido num bairro periférico de Havana, uma espécie de pequena vila com relativa independência da cidade (no meu bairro, tínhamos de tudo, exceto funerária e cemitério), de ser membro de uma das famílias fundadoras da localidade, alimentou muito esse sentimento de pertencimento a um território que, desde a única colina do bairro, era visível em sua totalidade; que, em qualquer lugar do mundo onde eu estivesse, me pertencia em sua totalidade.

Porque o determinante, acredito, é que um autor *é* a sua cultura, que inclui em primeiro lugar a língua e o modo como utiliza essa língua, mas também as infinitas referências e circunstâncias próprias de uma identidade — o que tenho chamado de *pertencimento*, talvez porque tem um matiz mais fatal, mais inapelável, mais insular... A música cubana, a desastrosa gastronomia nacional, a paixão pelo beisebol, o clima e a paisagem, o modo de agir, pensar e amar das gentes e até "a maldita circunstância de água por todo lado" formam os tijolos de um espírito singular que o escritor apreende apenas uma vez, a menos que seja um transumante ou um homem partido por duas culturas, como, em nosso caso, ocorre com alguns dos chamados escritores cubano-americanos, nascidos lá ou cá, cultores da língua de lá ou de cá, permeados por reminiscências históricas e de consciência de lá e de cá. Mas o forte sentimento de pertencimento de que gozamos ou padecemos os cubanos mais a impossibilidade de nos movermos pelo mundo segundo o nosso arbítrio mantida por décadas têm sedimentado em muitos dos escritores cubanos (e em mim específica e profundamente) uma relação de dependência com um meio sem o qual seria muito difícil para nós (para mim) seguir sendo escritor, a julgar pelo que conheço graças às minhas leituras e também a muitas conversações públicas e privadas... Ou se não, por que Cabrera Infante e Reinaldo Arenas continuavam escrevendo sobre Cuba, sobre sua vida em Cuba? Por que escritores cubano-americanos como Cristina García concebem um romance intitulado *Dreaming in Cuba* e Óscar Hijuelos, o mais bem-sucedido e reconhecido desses autores, ganhador de um Pulitzer, alcançou grande notoriedade com um romance feito de lembranças familiares e voluptuosidades cubanas como *The mambo kings*...?

Escrever sobre Cuba, sobre os cubanos que já foram e sobre os que agora somos, é uma missão fatal que me acompanha e que aceito mais do que resignado. Aceito essa missão porque não posso deixar de fazê-lo — como o fato de viver num país com "a maldita circunstância de água por todo lado" —, mas, sobretudo, porque eu quero aceitá-la. Ter voz e não a utilizar pode ser um pecado, ainda mais num país como Cuba. Viver dentro da ilha constitui, em troca, uma decisão, um exercício do arbítrio, que tenho aceitado de forma voluntária, porque quero seguir sendo alguém que vive perto de suas nostalgias, suas lembranças, suas frustrações e, claro, suas alegrias e seus amores. Ainda que eu não pratique com muita frequência algumas dessas sensações e revelações, como essa de caminhar no fim da tarde pelo Malecón, de sentar no muro de frente para a cidade e ver a vida, ou de frente para o mar e me ver e pensar que, além do oceano, existe um mundo que eu tenho tido a sorte de conhecer e desfrutar, mas que não me pertence, e sentir de novo que, do lado de dentro do muro, existe um país que, apesar das leis e proibições que o têm transformado num lugar hostil, me pertence. E eu pertenço a ele.

Tradução de María Elena Morán.

Viajantes
Igiaba Scego

O meu pai e a minha mãe chegaram à Itália de avião. Não pegaram um barco, mas um confortável avião comercial.

Nos anos 70 do século passado, para quem chegava do sul do mundo como os meus pais, existia a possibilidade de viajar como qualquer outro ser humano. Nada de "carroças" do mar, atravessadores de migrantes, náufragos, nada de tubarões ansiosos para lhe fazer em pedaços. Os meus pais perderam todos os bens em um dia e meio, inclusive a identidade. Em 1969, o regime de Siad Barre tomara o controle da Somália e, sem pensar duas vezes, o meu pai e a minha mãe resolveram buscar refúgio na Itália para salvar a própria pele e começar lá uma vida nova.

O meu pai era um homem de ótimas condições financeiras, uma carreira política no seu passado, mas, após o golpe de Estado, não tinha nenhum xelim no bolso. Tiraram-lhe tudo. Tornara-se pobre.

Hoje, o meu pai, que nos deixou há pouco tempo, deveria pegar um barco da Líbia, pois não existe outra maneira para chegar à Europa, vindo da África, a não ser que se faça parte da elite. Contudo, nos anos 70 do século passado, era diferente. Tenho lembranças de pais e familiares que iam e voltavam. Alguns primos meus trabalhavam nas plataformas petrolíferas na Líbia e um dos meus irmãos, Ibrahim, estudava naquela que outrora se chamava Tchecoslováquia. Lembro que, às vezes, Ibrahim se enchia de calças jeans compradas nas feiras de bairro na Itália para depois vendê-las secretamente em Praga e, assim, sustentar-se nos estudos. Depois, passava de novo por Roma, onde nós estávamos, e, quando a universidade fechava, voltava para a Somália, onde parte da família continuara a viver apesar da ditadura.

Se eu tivesse que desenhar as viagens do meu irmão Ibrahim em um papel, faria um monte de rabiscos. Linhas que unem Mogadíscio a Praga, passando por Roma, às quais deveria acrescentar, porém, alguns desvios, umas curvas. Meu irmão, de fato, tinha uma esposa iraniana e eles viajavam juntos. Assim, também Teerã estava no seu horizonte e muitos outros lugares em que estiveram, mas que agora não lembro com exatidão.

O meu irmão, sendo somali, podia viajar. Como qualquer jovem europeu. Se eu tivesse que desenhar as viagens de um Marco que mora em Veneza ou de uma Charlotte que vive em Düsseldorf, deveria fazer um rabisco mais denso do que aquele que fiz para o meu irmão

Ibrahim. Deveria desenhar as excursões escolares, aquela vez em que o grupo musical preferido tocou em Londres, os jogos de futebol do Manchester United e, depois, as férias em Paris com a namorada ou o namorado, ou ainda as visitas ao irmão mais velho que se mudara para a Noruega a trabalho. E pelo menos uma vez na vida tem que ir conhecer Nova Iorque e o Empire State Building, não é?

Para um europeu (e, em grande medida, para os ocidentais, aqueles do norte do mundo), as viagens são uma constelação e os meios de transporte mudam conforme a necessidade: pode-se pegar o trem, o avião, o carro, o navio de cruzeiro, e tem quem resolve passear pela Holanda de bicicleta. As possibilidades são infinitas. Assim como o eram para Ibrahim, apesar da Cortina de Ferro, mesmo em 1970. Claro que não podia ir para qualquer lugar, mas, graças a um sistema de vistos que não considerava um passaporte somali como papel higiênico, ele também podia viajar.

Nos tempos atuais, ao contrário, para quem chega do sul do mundo, trata-se de uma linha reta. Uma linha que obriga a ir para a frente e nunca para trás. É preciso alcançar a meta, assim como no rúgbi. Não existem vistos, nem corredores humanitários, é um problema seu se, no país em que você nasceu, existe uma ditadura ou uma guerra, a Europa não olha na cara, você é só um incômodo. Eis que de Mogadíscio, de Cabul, de Damasco, a única possibilidade é ir para frente, passo a passo, inexoravelmente, inevitavelmente.

Uma linha reta na qual, já o sabemos, se encontra de tudo: atravessadores de migrantes, escravagistas, policiais corrompidos, terroristas, estupradores. Você está à mercê de um destino nefasto que condena pela geografia e não por algo que você fez.

Viajar é um direito exclusivo do norte, deste Ocidente cada vez mais isolado e surdo. Se você nasceu do lado errado do planeta, nada será concedido. Hoje, enquanto eu refletia sobre a enésima polêmica tendo como epicentro o Canal da Sicília, neste Mediterrâneo que já está apodrecendo devido ao número excessivo de cadáveres que habitam as suas águas, me perguntei em voz alta quando este pesadelo começou e por que não nos demos conta da distopia em que agora estamos envolvidos.

Desde 1988, se morre assim no Mediterrâneo. Desde 1988, homens e mulheres são engolidos pelas águas. Um ano depois, em Berlim, cairia o muro; estávamos felizes e quase não nos demos conta daquele outro muro que, aos poucos, se erguia nas águas do nosso mar.

Entendi o que estava acontecendo apenas em 2003. Eu trabalhava em uma loja de discos. No Canal da Sicília foram encontrados treze corpos. Eram treze jovens somalis fugindo da guerra deflagrada em 1990 e que estava devorando o país. Aquele número nos pareceu imediatamente uma advertência. Lembro que a cidade de Roma se uniu ao luto da comunidade somali e, na praça do Campidoglio, o prefeito daquela época, Walter Veltroni, organizou um enterro leigo. Naquele dia — era um dia nublado de outubro —, uma comunidade dividida pelo ódio de clãs se reuniu em volta daqueles corpos. Choravam os somalis que chegavam àquela praça, choravam os romanos que sentiam aquela dor como se fosse a deles.

Agora é tudo diferente.

Poderia dizer que existe só indiferença em volta.

Mas receio que exista algo mais atroz que nos devorou a alma.

Experimentei isso na minha própria pele alguns verões atrás, em Hargeisa, uma cidade localizada no norte da Somália.

Uma senhora muito respeitável me confessou, quase com vergonha, que o seu neto morrera fazendo a *tahrib*, isto é, a viagem para a Europa.

"Foi comido pelo barco", me disse. A mulher estava triste e seguia repetindo: "Quando os meninos viajam, eles não nos falam nada. Naquela noite, eu lhe havia preparado a janta, nunca chegou a comê-la". Desde aquele dia, sonho frequentemente com barcos repletos de dentes, que agarram os jovens pelos tornozelos e os devoram como Cronos fazia com os seus filhos. Sonho com aquele barco, aqueles dentes enormes, grandes como presas de elefantes. Me sinto impotente. Aliás, pior: me sinto uma assassina, pois o continente do qual sou cidadã, a Europa, não está levantando um dedo para construir uma política comum que lide, de forma sistemática, com essas tragédias do mar.

Também a palavra "tragédia" seja talvez inapropriada, uma vez que, depois de vinte e cinco anos, podemos já falar em homicídio culposo e não mais de tragédia; sobretudo agora, quando a União Europeia, com a Itália em primeira linha, bloqueia as pessoas nos campos de detenção da Líbia. Uma escolha precisa do nosso continente, que resolveu controlar as fronteiras e ignorar as vidas humanas.

Não é por acaso que Enrico Calamai, antigo vice-cônsul na Argentina na época da ditadura, homem que salvou muitas pessoas das garras do regime de Videla, afirmou o seguinte sobre os migrantes que morrem no Mediterrâneo: "Eles são os novos *desaparecidos*. A referência não é retórica nem polêmica, mas técnica e factual, pois a *desaparición* é uma modalidade de extermínio em massa, gerenciada de forma que a opinião pública não consiga tomar consciência ou que possa, pelo menos, dizer que não sabia".

As pessoas somem, são engolidas, morrem, mal conseguem ter um enterro. Os corpos dos migrantes são comidos pelos abutres ou literalmente devorados pela maldade. Acontece no Mediterrâneo, assim como entre Estados Unidos e México, ou no Golfo de Áden, que separa o Chifre da África do Iêmen. O nosso horizonte visual já é constelado por putrefação, morte e indiferença, e não nos damos conta do quanto os nossos passaportes podem dar ou negar um privilégio. Não percebemos que o novo apartheid depende da cor dos passaportes e não da pele.

Nos últimos anos, me questionei muito sobre a palavra viagem. Não são também viajantes os afegãos, os sírios, os somalis, os venezuelanos?

Para o dicionário italiano *Treccani,* viajar significa: "Deslocar-se de um lugar para outro, a maioria das vezes distantes um do outro, através de um meio de transporte: de trem, navio, avião, ônibus (e, no passado, a cavalo, com a carroça ou com a diligência); por terra, por mar, por ar".

Deslocar-se de um lugar para outro.

Então, sim: afegãos, sírios, somalis, eritreus são viajantes. Assim como os italianos, os franceses, os estadunidenses, os ingleses, os alemães.

Viajantes, sim, mas não iguais nas possibilidades.

Há algum tempo penso que deveríamos ir além do discurso sobre as migrações e concentrar a nossa atenção na desigualdade da viagem. Estava pensando nisso bem recentemente. Fui convidada pelo jornal alemão Die Tageszeitung (Taz) para estar em um evento que o jornal organiza todo ano em Berlim. Tinha que participar de um encontro, um dos muitos durante o dia, intitulado *Alle Wege führen nach Rom* ("Todos os caminhos levam a Roma"), junto com o editor do Taz, Ambros Waibel, e com Luciana Castellina.

Por questões pessoais, não podia dormir em Berlim naquela noite. Assim, viajei de avião pela manhã e voltei à tarde. Eu sei, não faz sentido. Afinal, o dia estava lindo e o parque Tiergarten resplendia de luz pura. Contudo, apesar do pouco tempo disponível, consegui fazer algo. Conheci os dois aeroportos da cidade, Tegel e Schönefeld, conversei na ida com um taxista turco e, na volta, com um senhor palestino. Naturalmente, participei do meu encontro, um lindo encontro em que aprendi muito. A minha colega de palestra, como já falei, era a Luciana Castellina. Eu estava fascinada pela sua fala e teria ficado o dia inteiro escutando as suas histórias que partiam de Trieste, passavam por Roma, pela família, pela sombra da *Shoah* e, depois, pelo comunismo, pelo jornalismo, pela militância. Abusei do meu corpo, estava acabada de cansaço, e a menstruação (que, como nós mulheres sabemos, se apresenta sempre inoportuna) me enfraquecera ainda mais. À noite, parecia um zumbi. Exausta, mas feliz.

Fazer tudo isso só foi possível graças ao Acordo de Schengen e ao fato de que sou cidadã italiana. O meu corpo tem a permissão de livre circulação, ao passo que existem tantas pessoas que, para chegar à Alemanha, precisam fazer um pacto com o diabo.

Ao longo de toda a viagem, pensei nas pessoas que, alguns anos atrás, fizeram a travessia do rio em Idomeni, na Grécia, para chegar à fronteira seguinte. Em Idomeni, estava ocorrendo um trágico jogo de tabuleiro: portanto, se alguém errava a casa, era levado de volta ao ponto de partida. Agora, com os famosos acordos entre a União Europeia e a Turquia, todos foram levados de volta à casa de partida no tabuleiro sem que os seus casos fossem realmente examinados. Muitas pessoas, para chegar à Alemanha, tiveram que fazer um pacto com o diabo. Precisaram pagar atravessadores de migrantes, colocarem a si mesmas nas mãos das máfias, viver em moradias precárias e fétidas, em barracas ou na rua, tiveram que ser agredidas, sofrer violências, conviver com ratos e baratas, comer mal, curar-se pior, parir no frio, padecer. Porém, são seres humanos que nem nós. Possuem um nariz, duas orelhas, dois olhos, duas pernas — desde que uma mina não tenha explodido uma delas. Sim, em teoria somos todos iguais, mas, na realidade, existe sempre uma barreira invisível entre nós (em Idomeni ou na Hungria nem tão invisível), que promove alguém para a primeira divisão e joga os outros no abismo da segunda ou terceira divisão.

Pensei muito nisso quando li o belíssimo romance de Chimamanda Ngozi Adichie, *Americanah*. Ele é maravilhoso, rico, a ser relido e dar de presente. Mas, eis que na página 254 (me perdoem o spoiler, mas preciso fazê-lo), Obinze, um dos protagonistas, estudante nigeriano de boa família, com notas altas e para quem nada falta, pede o visto à embaixada estadunidense de Lagos. Tem quase certeza de que conseguirá obtê-lo. Sente-se destinado àquele país. "Seu anseio assumiu certa qualidade mística [...] Ele se viu caminhando pelas ruas do Harlem, discutindo os méritos de Mark Twain com seus amigos americanos, vendo o Monte Rushmore".

Naquela fila, "ele já sabia que o melhor entrevistador era o homem louro de barba e, conforme avançava na fila, torceu para não cair nas mãos do grande horror, uma mulher branca e bonita que era famosa por berrar no telefone e insultar até velhinhas". Porém, quando o entrevistador com a barba loura lhe diz que "não se qualifica", o mundo parece desabar sobre ele. Como assim, um "não" para Obinze, que tem as notas mais altas, dinheiro no banco, que deseja estudar e conhecer aquele país ao qual ama desde sempre? Um não logo para ele, que sabe tudo daquele país graças às revistas, aos romances, aos seriados?

Obinze já conhece os nomes das ruas antes de percorrê-las. Conhece também o formato das casas, a consistência do asfalto americano, o sabor do bacon e o cheiro do peru no Dia de Ação de Graças. Como é possível que o homem com a barba loura lhe diga que não se qualifica? Obinze sente-se devastado. A mãe, tentando oferecer uma explicação lógica, afirma: "É o medo do terrorismo. Os americanos agora são avessos a jovens estrangeiros".

Mas também as mulheres são consideradas de alto risco, pois são suspeitas de serem migrantes econômicas.

Viajar não é fácil se você não nasceu no país certo. No nosso planeta tecnológico e incivil, está em vigor um verdadeiro apartheid de viagem. Se não tiver o passaporte certo, a vida acaba na fronteira. Você é um incômodo, um perigo, uma praga, alguém cujo caminho deve ser barrado. Circular de um estado para outro, mesmo que só de férias, se torna uma missão impossível. Recentemente, uma empresa, a Arton Capital, criou o Passport Index, um site em que cada passaporte é analisado e classificado conforme a sua possibilidade de viagem. O passaporte se torna mais poderoso, então mais desejado, calculando o número dos países em que é possível entrar sem visto ou onde é mais simples obtê-lo na chegada. Entre os primeiros da lista, naturalmente, estão os Estados Unidos da América. Ter um passaporte dos Estados Unidos abre as portas do mundo. Um estadunidense pode viajar praticamente para qualquer lugar. E, na maioria das vezes, também obter o visto dos outros não é tão difícil. Um pouco de papelada, mas nada demais.

Paradoxalmente, muitos estadunidenses nunca saíram do seu próprio país. Sobretudo por razões econômicas.

No dia em que descobri o Passport Index, fiquei quase viciada. Olhei tudo com extrema curiosidade, e isso me levou fatalmente a examinar de perto os meus dois países, a Itália e a Somália, para entender como mudava, de um passaporte para outro, a minha classificação de viagem. O passaporte italiano se encontra entre os mais poderosos no mundo, na terceira faixa, em conjunto com um grupinho de outros países europeus, permitindo que um cidadão italiano possa viajar com certo conforto. Contudo, a história é bem diferente com o passaporte somali. Na verdade, eu nunca tive um passaporte somali, por causa da longa guerra civil, mas, se tivesse tido só aquele, a minha vida teria sido, assim como é para muitos somalis, tanto os jovens quanto os menos jovens, fortemente condicionada.

Um somali não pode ir praticamente a lugar nenhum. O passaporte tem uma taxa de desejabilidade muito baixa, está no octogésimo nono lugar do Passport Index. Ou seja, entre os últimos. Somente trinta e dois países permitem que um ou uma somali entrem sem visto ou com um visto emitido na entrada do país. Fiquei curiosa e, assim, comecei a fazer pesquisas para entender aonde poderia ir se tivesse somente o passaporte do país dos meus pais. O mais generoso era o Haiti, que permitia que os somalis entrassem sem visto e ficassem no país por três meses. Também as Maldivas, a Micronésia e o Moçambique davam visto de um mês. E, ainda, os somalis podiam entrar sem visto na Malásia, Singapura e no arquipélago caribenho de São Vicente e Granadinas. O resto do mundo, sobretudo o ocidental, estava blindado. Até a Itália, que durante anos colonizou a Somália e a explorou até mesmo depois, enterrando resíduos tóxicos no seu território (a jornalista Ilaria Alpi morreu após ter descoberto uma rede de tráfico de resíduos e armas), não oferecia nenhum visto aos somalis. Para um somali, assim como para muitas outras pessoas, a possibilidade de viajar legalmente e em segurança estava excluída.

Nos anos 70 e 80 do século passado, isso era possível, conforme já mencionado. Roma estava cheia de estudantes africanos que, muitas vezes, estudavam por um tempo nas universidades italianas, antes de voltarem aos seus países de origem. Uma cena do documentário de 1970, *Notas para uma Oresteia africana,* de Pier Paolo Pasolini, é testemunha disso: o autor entrevistava alguns estudantes africanos, todos elegantes, com um olhar orgulhoso e trajando belos paletós. Eles vinham da Etiópia, de Burkina Faso, do Congo, mantendo com o escritor um diálogo denso, intenso, durante o qual os olhares se cruzavam e se confrontavam. De vez em quando, volto a rever a cena daquele diálogo no YouTube e, faz um tempo, me ocorre o mesmo pensamento.

Aqueles jovens tão bem-vestidos, aqueles filhos da África, não precisaram se colocar nas mãos dos traficantes, simplesmente pegaram um avião. O mundo no passado não era perfeito, mas existia a possibilidade de viajar, de obter um visto, mesmo que com dificuldade. Hoje não é mais assim. Se quiser viajar, tem a máfia, as máfias. Elas são as verdadeiras agências de viagem globais. Como é que aconteceu isso de criarmos um mundo de primeira divisão e outro de segunda? Um mundo onde uma pessoa pode se movimentar a seu bel-prazer sem visto, em cem e mais países, ao passo que outros são indesejados assim que colocam a cabeça fora da porta de casa?

Para um africano é difícil viajar, até mesmo dentro da própria África. Lá também existem restrições inimagináveis para os cidadãos africanos que, muitas vezes, não são aplicadas aos viajantes europeus, estadunidenses, chineses ou australianos. O escritor Karim Metref, no seu artigo *Viaggiare non è facile per un africano... anche in Africa* ("Viajar não é fácil para um africano... até na África"), publicado no blogue do jornalista Daniele Barbieri, escreve:

> O resultado da pesquisa ilustra bem o nível de fechamento da maior parte dos países africanos em relação aos cidadãos africanos. Em geral, um africano precisa de um visto para ingressar em 55% dos países africanos. Para 22% dos países, precisa pedir o visto no país de origem antes de começar a viagem, ao passo que, para 33% deles, pode pedi-lo na fronteira ou no porto/aeroporto de chegada. De cinquenta e cinco países africanos, somente treze possuem uma política de acolhimento muito aberta em relação aos africanos, ou seja, não preveem o visto e, se ele for previsto, é concedido facilmente na chegada.
>
> O país com o índice de abertura mais alto tanto relativamente quanto em absoluto (10/10) é a República de Seychelles, a qual não pede o visto a nenhum cidadão de qualquer estado africano, nem antes da partida, nem na chegada.
>
> Ao contrário, entre os quatro países mais fechados, estão o Egito, a Guiné Equatorial, São Tomé e Príncipe e o Saara Ocidental. Todos com 0/10, ou seja, com a obrigação de visto antes da partida para os cidadãos de qualquer país africano.

Em teoria, com o Tratado de Abuja, de 1991, a África deveria ter adotado uma espécie de Schengen. No entanto, isso nunca aconteceu. Ciku Kimeria, uma cidadã do Quênia, explica bem tal fato no seu artigo *The trials, res-*

trictions and costs of traveling in Africa if you're an African ("Os processos, as restrições e os custos de viajar na África se você for africano"), publicado em Quartz Africa. Ciku conta sobre uma viagem que fez para a África ocidental. Na Costa do Marfim, seu ponto de partida, ninguém acreditava nela quando dizia que não tinha trabalho nem familiares a visitar nos países incluídos na sua viagem, mas que desejava só fazer turismo. Ela, mulher preta, não podia ser turista. Turistas eram os franceses, ou mesmo os ingleses e os alemães — brancos, naturalmente. Ela tinha sido colocada na casa de alto risco, pois as mulheres sozinhas, como se sabe, só querem emigrar. As peripécias de Ciku me lembraram as cenas do filme de Massimo Troisi, *Ricomincio da tre* ("Recomeço do três"), em que todas as pessoas, após ouvirem o sotaque napolitano do protagonista, lhe perguntavam: "Napolitano? Emigrante?", ao que ele, envergonhado, respondia: "Não, turista".

Ciku, que é uma viajante exemplar, já conheceu quarenta e dois países, dezesseis deles localizados na África, e gostaria que o seu continente tomasse posicionamentos do tipo: "Confiamos uns nos outros, mesmo que o resto do mundo não confie mais em nós". Infelizmente, porém, registra com pesar, o acesso ao seu continente é mais fácil para um norte-americano do que para uma africana como ela.

Em *Americanah,* Chimamanda Ngozi Adichie conta bem tudo isso em uma cena entre Ifemelu, a jovem nigeriana protagonista do romance, e Curt, o namorado americano branco. Ele diz para ela: "Vamos para Paris amanhã. Sei que não é nada original, mas você nunca foi e vou amar mostrar a cidade para você!". Ele é cheio de amor por ela, a adora, a venera. Mas, às vezes, não a entende. A jovem lhe responde com sinceridade: "Eu não posso simplesmente decidir ir a Paris. Tenho um passaporte nigeriano. Preciso pedir um visto, mostrar meu extrato bancário, minha carteirinha do plano de saúde e várias outras provas de que não vou ficar lá e me tornar um fardo para a Europa".

Diante do que escutou, ele responde: "É, não pensei nisso".

Se Curt esqueceu, muitos nem sabem de quais privilégios gozam.

Contudo, quem possui um documento fraco e quer mesmo assim viajar, como faz para ultrapassar o muro do apartheid?

Me deparei com um blogue, *P.S. I'm on my way. Travel, life and dreams* ("P.S. Estou chegando. Viagens, vida e sonhos"), de Trisha Velarmino. Trisha, uma jovem filipina, define-se como uma viajante compulsiva, tendo deixado uma vida confortável para ir atrás da sua paixão pela viagem. Milhares de usuários do mundo inteiro se dirigem a ela. Recebe perguntas de todos os tipos. Por exemplo, uma garota chamada Patty, filipina como ela, desabafa e Trisha intitula o post, sem muita ironia, *Third world passport 101: the secret to successful visa applications* ("Passaportes de terceiro mundo: noções básicas: o segredo para pedidos de vistos bem-sucedidos"). Patty escreve: "Estou farta das nossas limitações", onde por "nossas" se entendem aquelas dos filipinos, mas também de todos os outros que têm um passaporte de "terceiro mundo". Patty sonha com a Austrália, os Estados Unidos e a Europa.

De resto, com a internet e as redes sociais, os países se encaram direto nos olhos. O mundo ocidental, com a sua moda e os seus cantores, está em voga. É normal que os jovens do mundo inteiro queiram agarrar aquele mundo cintilante feito de Beyoncé, Leonardo DiCaprio, Cristiano Ronaldo. Mesmo que só de férias. Eis porque Patty fala em frustração. A dificuldade de obter um visto acaba por deixá-la em um estado de depressão, quase de inutilidade, ou até mesmo de irrelevância. Se não pode viajar, então ela não vale nada. Mas Trisha, a autora do blogue a quem chega esse desabafo, em vez de se juntar à queixa, oferece à Patty e aos outros usuários algumas "dicas" para obter os vistos desejados.

Trisha sabe bem o quão difícil e frustrante é possuir um passaporte do "terceiro mundo", mas acredita que, às vezes, é preciso mudar o próprio ponto de vista e ver também o lado positivo dos passaportes em questão. Um dos conselhos que ela fornece é ter um passaporte em ordem e viajar muito antes de pedir um visto para a Europa ou para os Estados Unidos. Trisha conhece o Passport Index e sabe que, para as Filipinas, alguns países são acessíveis: "Viaje para os países em que seja possível obter um visto e guarde os outros para as próximas viagens", escreve. Assim, ela conta para Patty e para os outros usuários que não tinha ideia de como fosse o Marrocos, mas, uma vez que queria e devia viajar para construir um bom currículo e um passaporte com muitos carimbos, escolheu tal meta, pois lá podia facilmente entrar como filipina. Aqueles três meses no Marrocos estão entre as suas melhores lembranças, explica. Um país maravilhoso. Sem contar que isso fez com que ela criasse uma boa impressão depois. No consulado italiano, alguém lhe disse: "Viajou muito, considerando-se a sua idade". E isso, diz Trisha, joga a seu favor. Para reconfortar Patty, assinala um link onde pode descobrir quantos países uma filipina pode visitar sem visto. Bolívia: sessenta dias, Brasil: noventa dias, Colômbia: noventa dias, Brunei: quatorze dias, Equador: noventa dias, e assim por diante com Israel, Vanuatu, Zâmbia, etc.

Existem muitos sites iguais ao de Trisha. Eles são radiantes, otimistas, divertidos.

Fazem de conta que está tudo bem.

Contudo, precisamos nos perguntar se é justo que uma pessoa, somente por ter nascido em determinado país, tenha o mundo inteiro aos seus pés, ao passo que as portas estão trancadas para outras pessoas. Isso ainda faz sentido em um mundo onde, graças à internet, podemos todos nos olharmos nos olhos reciprocamente?

Não quer dizer que, quem viaja, o faça somente para migrar de forma definitiva. Muitos querem estudar, especializar-se, olhar em volta, viver. Para os ocidentais, isso é permitido. Abrem um site, reservam um voo, e lá se vão para um fim de semana romântico em Amsterdã ou procurar aventuras em Machu Picchu. Há quem procure trabalho em Berlim para aprender alemão, há quem se especialize em Harvard. Viajar é uma possibilidade concreta para os que nasceram no Ocidente, sei bem disso, faço parte do Ocidente e tenho um passaporte forte. Para os outros, é um trabalho de parto, um calvário, e às vezes é tão impossível que só se pode sonhar ou tentar viajar correndo grandes riscos.

É por isso que é importante criar modalidades para viajar legalmente. Não só conseguiremos restabelecer uma espécie de viagem circular, onde quem viaja não é obrigado a migrar como única escolha, mas que tenha também a possibilidade de voltar atrás. Pois, juntamente com as reais emergências humanitárias, o mundo ocidental criou uma tampa que transforma até a simples mobilidade em uma emergência. Além disso, chegou a hora de criar uma viagem mais segura para todos, tanto para quem se desloca quanto para quem acolhe. Pensando bem, essa é a nossa contradição máxima: falamos tanto de segurança, de antiterrorismo e de vários alertas, mas, ao mesmo tempo, confiamos algo tão precioso como uma viagem às máfias.

Disso havia nos alertado, em tempos não suspeitos, uma antiga comédia ítalo-francesa dirigida por Christian-Jaque, *La legge è legge* (no Brasil, *Contrabandista a muque*). No filme, inteiramente situado em uma cidadezinha de fronteira entre Itália e França, o ator francês Fernandel, um aduaneiro inflexível (quase um sacerdote da fronteira), descobre não ser realmente francês. De fato, com grande desapontamento, ele nasceu na cozinha de um restaurante que se encontra exatamente onde passa a linha da fronteira. Então é italiano? Não. A verdade é que ninguém o quer. Nem a França, nem a Itália. Uma cena emblemática mostra que ele passa das autoridades francesas às italianas como se fosse um saco de batatas.

"Gostaria de saber se existo ou não existo", pergunta a certo momento o ex-aduaneiro, exausto e desesperado.

"Diante da lei, não", é a resposta da ordem constituída. Assim, Fernandel, em um lance de orgulho, começa um monólogo sobre a fronteira, um dos mais interessantes da história do cinema: "Então, se entendi bem, para vocês a existência de um homem não conta nada, o que conta é a sua carteira de identidade. Entendi bem, o mundo funciona com a lei, a papelada, os regulamentos. Muito cedo será necessária uma permissão para viver, devidamente carimbada, para poder respirar". Fernandel se pergunta se, neste mundo, ainda há espaço para o homem, para a convivência.

Às vezes, me parece que, mesmo tendo passado séculos, ainda vivemos na mentalidade que animava Esparta, quando exigia que os estrangeiros realizassem sacrifícios para serem admitidos nos seus territórios.

Porém, se em Esparta uma oferta era suficiente, agora é a nossa vida ou a nossa essência que nos é pedida em troca. E isso é profundamente injusto. Portanto, precisamos lutar para reestabelecer a primazia dos corpos em relação ao arame farpado.

Tradução de Patrizia Cavallo, revisão de Gustavo Melo Czekster.

Sobre os autores

Patrícia Campos Mello
É formada em jornalismo pela USP e mestre em Business and Economic Reporting pela New York University. Foi correspondente em Washington do jornal O Estado de S. Paulo e atualmente é repórter especial e colunista da Folha de S. Paulo. É autora de *Lua de mel em Kobane* e vencedora de diversos prêmios jornalísticos, entre eles o Prêmio Internacional de Jornalismo Rei de Espanha, em 2018.

Juan Cárdenas

Nasceu em Popayán, na Colômbia, em 1978. É tradutor e escritor, com sete livros lançados (ainda sem publicação no Brasil), premiado em 2014 por sua obra *Los estratos* (prêmio Otras Voces, Otros Ámbitos). Foi selecionado para a coletânea Bogotá39, que reúne os trinta e nove escritores da América Latina com menos de quarenta anos mais destacados do momento.

Bernardo Carvalho

Nasceu em 1960, no Rio de Janeiro. É escritor, jornalista, dramaturgo e tradutor. É autor de um livro de contos, de duas peças de teatro e de onze romances, entre eles *Nove noites* (Prêmio Machado de Assis, Prêmio Portugal Telecom), *Reprodução* (Prêmio Jabuti) e *Simpatia pelo demônio*. Seus livros estão traduzidos em mais de dez idiomas. Costuma colaborar com artigos, ensaios e narrativas para publicações de vários países. Atualmente, faz parte do quadro de colunistas da Folha de S. Paulo, jornal para o qual também trabalhou como correspondente em Paris e em Nova Iorque.

Leonardo Padura

Nascido em Havana, em 1955, é pós-graduado em Literatura Hispano-Americana, romancista, ensaísta, jornalista e autor de roteiros para cinema. Ganhou reconhecimento internacional com a série de romances policiais *Estações Havana* e com as premiações Princesa de Asturias e Prêmio Nacional de Literatura de Cuba. É colunista da Folha de S. Paulo e colaborador do El País. Tem nove livros publicados no Brasil, com destaque para *O homem que amava os cachorros*.

Igiaba Scego

Nasceu em Roma, em 1974, de família de origem somali. Depois de se formar em Literatura Estrangeira na Universidade La Sapienza, em Roma, escolheu trabalhar como jornalista e escritora, colaborando para jornais como Il Manifesto e Internazionale, e também para revistas que lidam com imigração e cultura africana. Como autora, ganhou vários prêmios e participou de inúmeros eventos, incluindo o Festival de Literatura de Mântua, que a hospedou em 2006. No Brasil, foram lançados *Minha casa é onde estou* e *Caminhando contra o vento*.

**LIVRARIA
DUBLINENSE**

**A LOJA OFICIAL DA DUBLINENSE,
NÃO EDITORA E TERCEIRO SELO**

LIVRARIA.DUBLINENSE.COM.BR

Este livro foi composto em fonte ARNO PRO
e impresso na gráfica PALLOTTI, em papel
LUX CREAM 90g, em AGOSTO de 2019.